Memory
House

虽 则 如 云　　匪 我 思 存

匪我思存 著

FEIWOSICUN
WORKS

19

BECAUSE OF
LOVE

爱你是最好的时光

新世界出版社

图书在版编目（CIP）数据

爱你是最好的时光 ／ 匪我思存著.—北京：新世界出版社，2012.2

ISBN 978-7-5104-2548-6

Ⅰ.①爱… Ⅱ.①匪… Ⅲ.①长篇小说－中国－当代

Ⅳ.①I247.5

中国版本图书馆CIP数据核字（2012）第007774号

爱你是最好的时光

策　　划：	北京记忆坊文化
作　者：	匪我思存
责任编辑：	杨雪春
特约编辑：	四　喜　小　歪
责任印制：	李一鸣　冯宏霞
出版发行：	新世界出版社
社　　址：	北京市西城区百万庄路24号（100037）
总编室电话：	（010）68995424（010）68326679（传真）
发行部电话：	（010）68995968（010）68998733（传真）
本社中文网址：	www.nwp.cn
本社英文网址：	www.newworld-press.com
版权部电子信箱：	frank@nwp.com.cn
版权部电话：	+86（10）68996306
印　　刷：	环球印刷（北京）有限公司
经　销：	新华书店
开　本：	880×1230　1/32
字　数：	200千　印张：9ch
版　次：	2012年2月第1版　2012年3月北京第2次印刷
书　号：	ISBN 978-7-5104-2548-6
定　价：	28.00元

我做过最勇敢的事，就是爱你。

【壹】

　　谈静上的是下午班，正巧又是双休，忙得脚不沾地，最后打烊的时候发现收了一百块假钱。收到假币是最懊恼的事了，谈静向来心细，以前从未犯过这样的错，今天也是忙昏了头。王雨玲正好跟她一起上下午班，王雨玲说："要不给梁元安。"梁元安虽然向来嘻嘻哈哈没个正形，可是很照顾店里这些女孩子，偶尔有人收到假币，交给梁元安，没两天他就拿一把零钱来，说："喏，还有十五块买烟抽了啊。"虽然少了十五块，可是小姑娘们总是高高兴兴，嘴甜的还会说："谢谢梁哥。"

　　谈静觉得不好，虽然梁元安拿去也是花掉，可是别人小本生意，收到假币，肯定一样地难受。

王雨玲不以为然：“你是榆木疙瘩。”

谈静没脾气地笑：“算了，当买个教训。”

其实还是心疼，一个月工资算上加班费也不过两千出头，突然没了一百块，当然懊恼。埋头继续轧账，突然听到风铃声响，王雨玲说：“对不起，我们已经打烊了。”

“我想订个蛋糕。”

低沉悦耳的男中音，仿佛有磁性，听在耳中，令人一震。

谈静不由得抬起头来，首先看到的是衣领，衬衣领子，没有系领带，解开了两颗扣子，显得很随意的样子，一边肘弯上还搭着西服。从收银台这边看过去，只能看到客人的侧脸，虽然只是侧脸，可是眉目清朗，是难得的俊逸男子。

谈静觉得很失态，低下头继续数钱，耳里听到王雨玲连声音都温柔了好几分：“要不这样吧，如果您不急着要，今天先挑个蛋糕样子，明天您再过来取？”

男人似乎微微沉吟了两秒，说：“算了。”

看着他转身往店门外走，王雨玲忽然灵机一动，叫住：“麻烦您等下，我们还有位裱花师傅没走，要不我让他给您加班做一个？”

梁元安其实已经下班了，可是王雨玲给他打了个电话，他正好还没走到地铁站，很爽快地回来了，洗手换了衣服就去了操作间。

男人非常有礼貌地道谢，然后选定了蛋糕的样子，估计是送给女朋友的，因为挑的是心型，又全是玫瑰花图案。这种蛋糕店里卖得最好，俗是俗，腻是腻，可是爱情从来没有不俗不腻的。

王雨玲还在耐心地询问蛋糕上要不要写字，要不要撒巧克力粉，要不要放上糖霜，男人说：“给我张卡片吧。”

店里蛋糕附送的卡片非常精美,男人想起什么似的:"我去车上拿支笔。"王雨玲忙回头叫:"谈静,把笔拿过来。"

谈静只得将笔送过去,离得近,闻得到男人身上淡淡的香气,似乎是薄荷的清凉,又仿佛是绿茶的气息,纯粹而干净。

"谢谢。"

男人回过头去写字,因为半低着头,谈静就看到他的手指,非常修长。

谈静快快走回收银台去,把钞票理一理,男人来交钱的时候,她的心还怦怦跳,就像第一次看到聂宇晟。

那时候她刚刚考进十四中。课业重,路又远,一个星期才回家一次。每次回家都是周六,妈妈总是事先给她弄点吃的,跟她说不到几句话,就匆匆忙忙赶着要走。那时候妈妈利用双休教钢琴课,每个学生住的都不近,来来回回要倒换好几趟公交,可是收入还是相当不错。谈静知道妈妈的不易,从来也很乖巧。

妈妈第一次病发的时候,谈静还在学校上课。班主任把她叫出教室,告诉她妈妈进了医院。谈静仓皇地赶到医院去,却在急救室没有找到母亲,她正焦急地询问护士,忽然听到身后有人问:"你是谢老师的女儿吧?"

低沉悦耳的男中音,仿佛有磁性,听在耳中,令人一震。谈静转身,首先看到的是衣领,T恤领子,淡蓝色的条纹T恤,很清爽随意的大男生。

谈静那时都急糊涂了,只会问:"我妈妈在哪里?"

"已经转到观察室,医生说住院部暂时没有床位,等腾出床位再转到住院部去。"他稍顿了顿,说,"我带你去。"

谈静跟着他穿过医院长长的走廊,又拐了一个弯,才是急诊中心的观察室。妈妈就躺在床上,身上还插着一些仪器的管子,盖着医院的被子，脸色煞白，连嘴唇都是灰的。谈静一声"妈妈"噎在喉咙里，眼泪顿时流下来。

他安慰她："医生说已经没事了，你不要太担心。"

谈静从来不知道妈妈有心脏病，母女二人相依为命多年，今天骤然听说，顿时觉得像塌了天，六神无主。幸好那男生虽然比她大不了几岁，行事倒挺沉稳。——告诉她前因后果，谈静才知道原来他叫聂宇晟，今天妈妈去他家给他上钢琴课，没想到课上到一半的时候就昏了过去，幸好送来得十分及时，经过医生急救后已经并无大碍。

谈静自然是感激万分，谢了又谢。倒谢得他不好意思起来："你别这样见外，别说是谢老师，就是一个陌生人遇上这事，也应该送到医院来。"补了一句又说，"谢老师平常对我挺好。"

后来谈静才知道，聂宇晟还垫付给医院五千块的押金。妈妈在医院住了大半个月，出院后才去银行取了钱，因为医生一直嘱咐要卧床静养，只得由谈静拿去还给聂宇晟。

聂宇晟家住的那个小区在山上，背山面海，风景格外地好。那时正是凤凰花开的时候，路两旁全是高大的凤凰树，大朵大朵的艳丽花朵，远远看去像是无数只火色的蝴蝶。高大的乔木掩映着黑色的柏油路，一直延伸到山顶。山道曲折，谈静坐到公交的终点站，偌大的公交车上，只剩了她一个乘客。

门口的保安不让她进去，谈静借了保安的座机给聂宇晟打了个电话，就站在大门外的树下等。人行道边落了一层狼藉的红花，更像是下过一场花雨。谈静站了没多大一会儿，突然觉得有什么东西砸落在她头顶上，伸手摸索，才知道原来是朵落花。刚刚把花顺着头发捋下来，已经听到身后有脚步声。

谈静转过身，果然是聂宇晟。他一身白T恤白裤，踏着火红的落花走来，对她笑："等了好一会儿了吧？"

谈静这次才看清楚聂宇晟的样子，眉目清朗，是难得的俊逸男生。谈静素来内向，在学校里都不太跟男生说话，所以还没开口倒先红了脸："没有。"定了定神，把手里的信封交给他，"这是妈妈叫我拿来的，还有，谢谢你。"

聂宇晟没有接信封，却先问："谢老师好些了吗？"

谈静说："好多了，谢谢你。"

聂宇晟说："真是太不好意思了，这几个月的学费还没有给谢老师，这五千块先付学费吧，还有余下一千多，等过两天我再补上，可以吗？"

他说的很客气，谈静也不清楚妈妈教课的具体情况，只是妈妈特意去银行取了钱叫自己送来，所以小声说："要不你还是先拿着吧，学费到时候再给我妈妈吧。"

聂宇晟不由笑，露出一口洁白整齐的牙齿："你这个人怎么这样拧啊？"

本来是很寻常的一句话，谈静心里却怦怦直跳，仿佛是在学校刚测过八百米，跑得久了，连一颗心都快要跳出来的样子。

很久之后有天晚上，那时候跟她一起合租的王雨玲一时无聊，租了几张电影的DVD光碟回去看，其中一部名叫《心动》，谈静正在洗衣服，一大盆子衣服和被单，用搓板搓得两臂发酸，偶尔抬头看一眼电视机屏幕。电影当然拍得唯美浪漫，原来全世界少男少女心动的感觉，都是这样美，这样好，让人惆怅万分。

客人拿走了蛋糕，梁元安洗手换了衣服出来，笑嘻嘻地问："一起吃宵夜？"

王雨玲满口答应，谈静说："我还要回去洗衣服……"

"你那几件衣服一会儿就洗了。"王雨玲打断她的话，"早叫你买台全自动洗衣机，你总是不乐意。"

谈静没做声，每个月房租水电，样样开销下来，余不了几个钱。王雨玲已经拖着她："走吧走吧，回家也是看电视。"

顺着路口一拐，小巷子里有几家烧烤摊。生意正好，烟熏火燎。梁元安明显是熟客，大大咧咧跟老板打过招呼，不由分说点了一堆东西，然后又叫了三大杯扎啤。谈静说："我不会喝酒。"

王雨玲把那一大杯酒推给梁元安，说："谈静最老土了，什么都不会，什么都不敢。"又想起假钞的事来，劈里啪啦说给梁元安听，"你说她是不是榆木疙瘩？"

谈静好脾气地笑笑，梁元安问："那张假钱呢，给我看看行不行？"

谈静低头从包包里找出来，梁元安拿在手里翻来覆去地看，说："这个挺像真的，怪不得你没认出来。"

谈静说："都怪我忙昏了头，应该从验钞机里过一下，结果忘了。"

梁元安却把钱收起来了："我帮你花了吧，我晓得你是没胆子用出去的。"

"这不太好吧。"

王雨玲已经扑哧一笑："看到没有，她就是这么老实。"

谈静讪讪地，又不好硬找梁元安把钱要回来。正巧这时候烤肉上来了，梁元安招呼："来来，冷了就不好吃了。"他和王雨玲一说笑，就把这事混过去了。

王雨玲现在租的房子跟梁元安住的地方顺路，两个人一块儿赶地铁走了。谈静搭了公交回家，空荡荡的车厢，寥寥几个乘客都面露疲色。路灯的光一跳一跳地映进来，像是一部坏掉的电影拷贝，照得车厢里忽明忽暗。她把胳膊放在车窗上，夜里的风略有凉意，只有在晚上下班的时候，公交上才会有座位，因为她下班通常都很晚。也只有这时候，她才会想点什么——其实什么也没有想。对于生活，其实早就麻木了，只是脑子里虽然空着，可是整个人却无法放松下来。

下了公交车还得走十来分钟，这一大片都是老式的居民楼，路两旁有不少小店小饭馆，这时候还有好几家开着门，店铺里的灯光像是倒影，一道一道映在窄窄的马路上。路过水果店的时候谈静停下来，买了两斤桃子。这个季节的桃子便宜，也很甜。找零钱的时候有个角子掉到了地上，她找来找去找不到，最后还是老板眼尖，捡起来给她。

装桃子的塑料袋又薄又小，不过五六只桃子，塞得满满的，不一会儿就勒得她手指发疼。她换了只手拎袋子，走到小区门口的时候，正巧有盏很亮的路灯。还是很老式的铁门，一条条的栅栏影子映在地底下，她想了一会儿，还是转过身来。

车没开大灯，没声息就停下了。有一瞬间她觉得这大约是梦境，因为只有在梦里才会是这样子。她有点无力地笑笑，像是在嘲笑自己不自量力，不过马上她就知道这并不是做梦了。因为聂宇晟下车了，他不仅下车了，还朝她走过来。

谈静没有动弹，晚风扑扑地吹着她的裙摆，像是鸽子的翅膀，轻软地拍着她的肌肤。而手里的桃子沉甸甸的似千斤重，勒得她手指发红发紧发疼，她有点后悔买桃子了，或许空着手可以逃得更快。不过她下意识挺直了腰，逃？不，她并不需要再逃避。事隔多年，她一直觉得自己比从前更软弱了，但到了今天，她才忽然地觉得，原来粗糙的生活并没有让自己软弱，反倒令她更加坚强。

聂宇晟一直走到了她的面前，他高大的身形在路灯下投射出的阴影笼罩了她，她慢慢抬起头来看着他，眼中只是一片平静。

刚刚在蛋糕店的时候他就已经认出了她，不然他不会订那个蛋糕，可是当年她狠狠地给了他一巴掌，他们之间早就已经银货两讫，谁也不再欠谁。隔了这么漫长的岁月，当再次相遇的时候，她发现自己居然一点也不再怨怼。从前种种的痛苦与难堪，原来真的可以随着时间而淡化甚至淡忘。

聂宇晟并没有什么表情，只是无波无澜地看着她。谈静觉得自己应该说点什么，倒不是被他的气场压迫，而是她必须得说点什么。他为什么会跟着她回家来呢？是好奇吗？不，聂宇晟从来不好奇，他也从来不做没有用的事情。她觉得自己不能不开口了，当年踏着落花而来的白衣少年已经死去，而今天的相遇，只是人鬼殊途。

她甚至笑了笑："好久不见。"

他看了看她身后敝旧的楼房，淡淡地问："你住在这里？"

"是啊。"她像遇见老朋友，语气平静无波，"要不要上去坐坐？"

他扬起半边眉毛，这个男人还是那样英俊，一举一动都透出俊逸不凡，低沉的声音仍旧仿佛带着磁性，只是字句里却藏不住冷若冰霜似的刻薄："你经常邀请男人上去坐坐？"

"当然不是。"她很快地说，"我没有别的意思。我老公应该下班回来了，如果你不介意，上去喝杯茶好了。"

他笑了笑，说："不必了。"

他开车跟着她到这里来，是眼看着她过得不好，他才会觉得安心。她笑了笑，说道："要不上去吃点水果，我记得你最喜欢吃桃子。"

　　有一次他发烧吊水，坐在输液室里，她把桃子一片片片好了喂给他吃，一边喂一边心疼，因为他烧得连眼睛都红红的，眼底出了细小的血点。那个时候他还叫她老婆，那个时候她还以为他们一定会结婚，那个时候有多傻啊，把所有的一切都当了真。

　　"谢谢，还是下次吧。"他仍旧彬彬有礼，就像是对待陌生人。

　　她轻松地笑，说："那我上去了，再见。"

　　他没有跟她说再见，再见，不，永世不见。今天的这一面已经是纯属多余，今生今世她都不想再见到她，想必他亦如此。

　　她一直走到楼道里才觉得手心是潮的，背心里也是涔涔的冷汗。她抱着那袋桃子，像抱着什么宝贝，在漆黑的楼梯间里一步步摸索着朝上走，唯恐惊醒了什么似的。

　　原来——原来已经七年了。

　　她过得并不好，正如了他的意。她也并没有撒谎，不过刚刚她邀他上来的时候，心里还真有点怕他当真上来，那时候她可真不知道该如何收拾残局……当她摸出钥匙开门的时候，听见客厅里哗啦啦一阵响，不知道是什么东西落下来。她一脚踏进黑暗里，孙志军果然已经下班回来了，不过跟往常一样，喝得烂醉。没有开灯她也能闻见他身上的酒臭烟臭，她在那里停了一停，仿佛是积蓄了一点力气，伸手摸索着开关，把灯打开了。

　　孙志军吐了一屋子，她把窗子打开透气，去厨房铲了煤灰来清扫秽物。本来家家户户都烧天然气了，但她跟开电梯的王大姐讨了不少煤窝煤灰，王大姐就住在车棚旁的小平房里，没有天然气，日子过得十分俭省，平常还烧蜂窝煤。她讨煤渣，就是因为孙志军每次喝醉了就吐一地。谈静很利索地收拾完屋子，然后打了一盆温水来给孙志军擦脸，毛巾刚碰到他脸上，他就一胳膊拐过来，胳膊肘正巧撞在她鼻梁上，撞得她脑袋一懵，整个人都往后一仰，倒坐在了地上。

鼻子开始流鼻血了，她随手拿起卷筒纸，揪了点纸卷成一团塞上，然后继续给孙志军擦脸，擦胳膊。温热的鼻血慢慢浸润了纸卷，她低头拧毛巾的时候，一滴一滴就落在了脸盆里，血丝化成细缕，没一会儿就散入水间，再不见。她去换了一盆水来，这时候孙志军倒乖起来，像个大婴儿，由着她摆弄。她帮他擦洗完，又替他脱下脚上的鞋，换了毛巾替他擦脚。看他横躺在沙发上，知道自己没办法把他弄到床上去，于是从卧室拿了床毛巾被出来，给他搭上，让他好好睡。

忙完这些，刘海已经被汗濡湿，紧贴在脑门上。她拿了睡衣去洗澡，洗完澡出来再洗衣服。孙志军的牛仔裤又厚又重，只能用刷子刷，她只差又忙出一身汗，最后端着盆子去阳台晾衣服，阳台上夜风十分清凉，她忍不住就站了一会儿。

只那么一小会儿，就足够想起很多的事，人在极度疲劳和极度困顿的时候，总是会回忆自己最好最幸福的时光。这种回忆太奢侈了，她靠在纱门上，远近都是人家，星星点点的万家灯火，遥远的车声传来，就像是另一个世界。今天聂宇晟的出现还是打乱了她，她一直觉得自己已经心如死水了，但他为什么还要斩尽杀绝？

幸好她已经结婚了，她从来没有这样庆幸过，但内心深处有小小的惶恐声音。其实没结婚又能怎么样呢？他们相互之间的怨毒已经深刻入骨，聂宇晟说过：谈静你以为这算完了吗？早着呢，不让你身败名裂，我绝不会放过你。

身败名裂算什么，比身败名裂痛苦一千倍一万倍的她都受过来了。

连她自己都不知道最后是怎么熬过来的，幸好已经全都过去了。

第二天早上她起来的时候，孙志军的酒已经醒了。他已经上班去了。她有时上早班有时上晚班，而他也是有时白班有时夜班，两个人常常见不着面，见着了也说不着话。孙志军一下班就和同事去小馆子喝酒，不喝到醉醺醺绝不会回来。起初她还劝，毕竟喝酒伤身。后来有一次她劝得久了点，他一拳头捶过来，把她端在手里的一碗醒酒汤掀翻在地上，瓷碗摔得粉碎，汤溅了一地，从那以后，她再也不劝他了。

她上班是倒一休一，今天整天都不用去店里。她收拾了一下就去菜场买菜，做了西红柿炖牛腩，还有鱼丸子。牛肉涨价涨得厉害，也顾不上了，做好了这两个菜她就装进饭盒里，本来已经拿了交通卡打算出门了，后来想了一想，又坐下来了。今天她哪里都不想去，包括陈婆婆那里。

平白无故空出一整天时间，她把家里的床单被褥什么都洗了。又把厨房瓷砖上的油烟积垢仔细清洁了一遍，最后是洗厕所。里里外外收拾过来，处处窗明几净，她才脱了橡胶手套，喝了口窗台上晾着的凉茶。喝了一会儿茶，她心神不定，又起来拿钥匙开抽屉，把藏在底板下头的存折拿出来。孙志军已经有快两年没给她一分钱了，他那点工资，喝酒打牌都不够用。家里的水电煤气，样样都得开销，她只好尽量节省。可是怎么省也省不出多少来，这么多年，存折上也就一万多块，这是她压箱底救急的钱，每隔一阵子，她就拿出来看看，只是越看就越是揪心。她吃过没钱的苦头，妈妈最后病危在医院里的时候，等着钱救命，可是她一点儿办法也想不出来。从那时候起她就落下了心病，每隔几天，总要把存折拿出来看看，可是再怎么看，后头也不会多出一个零来。

她快快地把存折收拾起来锁好，目光落到昨天买的桃子上。毛茸茸的鲜桃像是豆蔻年华的少女，带着清新甜美的气息。其实她早就不吃桃子了，可是昨天鬼使神差的，却买了两斤桃子。从前的时候一遇上聂宇晟她就鬼迷心窍，而直到如今，她一看见他，还是会失魂落魄。

"快看！聂宇晟！"

聂宇晟走进门诊的时候，旁边小护士一见了，飞快地推着另一个小护士的胳膊，像是影迷看到了偶像，几个小护士都转过头来，齐齐对他行注目礼。他其实并没有注意到有人在看自己，径直上电梯去了。一群小护士这才松了劲，一个说："都说聂医生是本院最帅的医生，果然是真的。"另一个说："是单身医生中最帅的吧，可惜常医生结婚了，其实常医生比聂医生帅。"

"我倒觉得常医生没有聂医生帅，再说聂医生比常医生高，男人高才叫玉树临风啊。不过常医生长得像陆毅，一笑可帅了。聂医生不怎么爱说话，成天板着一张脸，我不是有个同学在心外吗？她说居然从来没看到聂医生笑过，也不知道是不是真的。"

"你有同学在心外啊？那还不赶紧近水楼台一下。都说聂医生还没有女朋友，叫她努力努力搞定这钻石王老五，多好啊！"

"近水楼台有什么用，全医院都知道聂医生的爸爸是聂东远。聂东远你知道么？上市公司的董事长，每天挣的钱数都数不过来。听说他们家连私人飞机都有，这样的钻石王老五，克拉数太大了，一般人谁配得上啊，咱们还是看看得了。"

电梯到四楼停下，心外科和胸外科都在这一层。大厅里很多等叫号的病人，电子屏不停地翻滚，报着挂号顺序。比起住院部，这里要嘈杂许多。聂宇晟很少到门诊里来，本来按惯例每个医生每月都得有三天在门诊，只有科室主任副主任可以例外。不过聂宇晟手术非常多，排得太满，科室主任就说："不要给小聂排门诊了。"

科室倒没人说闲话，毕竟手术比门诊累。他刚到医院的时候，虽然同事都待他很客气，不过这客气里多少有点疏离。一个富家公子，留美归来，双博士学位，偏偏执意来公立医院上班。虽然他们是全国数一数二的医院，但大多数同事心里是犯嘀咕的，包括科室的方主任，据说还跟院长怄气，并不想要他。但是后来时间长了，大家互相了解了，对聂宇晟倒好起来。毕竟他技术精湛，对病人又细心，一点公子哥的脾气都没有。有一个有钱的董事长爸爸又不是他的错，所以心外科的大部分同事都对他印象不错。方主任对他更是青眼有加，每次会诊都亲自带着他，人人都说连脾气古怪的方主任都喜欢他，聂宇晟果然招人喜欢。

不过最喜欢他的还是医院那帮小护士，虽然他不怎么爱说话，也很少参与医院的集体活动，不过他的人气一直排在全院八卦排行榜第一名，连最易让人亲近的消化内科常医生也常常屈居其下。小护士们最爱研究聂宇晟穿了什么鞋，因为医生袍一穿，只有鞋子露在外头，据说还有人专门用手机偷拍他鞋子的照片，发到医院内部的BBS上去。

李医生正在看造影，见他进来跟他点点头，打个招呼："我拿不太准，所以让你过来看看。"

那带子明显不是本医院的，也常常有病人带带子带病历转院看病，所以聂宇晟也没多想，仔细看了看带子，倒过去又看了一遍，才说："还是让病人再做一次造影吧，如果要排期手术的话。"

李医生说："病人家长听说我们的造影比原来那个医院要贵一千多，有点不太乐意。"

聂宇晟又看了眼带子，明明是小孩子的心脏，现在的家长对孩子都恨不得赴汤蹈火，这种家长倒是罕见。于是问："病人呢？"

"在外面候诊室，我让护士把他们叫进来。"

谈静做梦也没想到会在这里见到聂宇晟，一时之间都傻了，聂宇晟明显也没想到，所以也怔了一下。谈静有点慌乱地坐下来，换手让孩子坐在自己膝盖上。聂宇晟看了看病历，病历封面上的名字年龄什么都是由病人自己填，他认出谈静隽秀的字迹。写着：孙平，六岁，男。说是六岁的孩子，因为太瘦弱，看上去顶多有五岁的样子。头发稀稀疏疏，又黄又脆，所以剃得很短。不过长得跟谈静非常像，两人一眼就可以看出是母子。孩子大约因为心脏供血不足，所以嘴唇发乌，有明显的紫绀症状。不过眼珠黝黑，一对宝石似的眸子，有点怯意地看着面前陌生的人，不一会儿就转过脸，小声叫："妈妈。"

谈静哄着他："乖，我们不打针。"

李医生扶了扶眼镜，说："我们还是建议再做一次造影，现在看来血管的情况并不清晰。这造影还是一年前做的，拖到现在真不能拖了，再拖下去没手术的机会了。"

谈静嗫嚅："我知道。"

"知道就别再拖了。"李医生说，"手术风险是有，但是治愈率也很可观。你回去跟孩子爸爸商量一下吧，越早手术效果越好，别再拖了。"

"好。"谈静低垂着眼睛，"谢谢您了。"

等他们一走，李医生就直摇头："真作孽，一看就知道没钱做手术，再拖下去，这孩子完了。"说到这里他突然想起来，"哟，这造影的带子怎么忘了拿走。"他急着叫护士，"小陈，快去把病人追回来，她忘记拿带子了。"

"我去吧。"聂宇晟随手抽走带子，径直出了诊室。他看了一眼电梯，转身朝楼梯走去。果然，谈静抱着孩子，正低头下楼梯。

"你带子忘了。"

谈静没做声，将孩子放在地上，然后接过带子塞进背着的包包里，重新抱起孩子。

"法洛四联症，肺动脉狭窄、室间隔缺损、主动脉骑跨和右心室肥厚，法洛四联症是最常见的先天性心脏病之一。唯一可选择的治疗方法为手术纠正畸形，不然活不过二十岁，你儿子肺动脉狭窄情况严重，很难活过十岁。"

谈静抬起眼睛看着他："你想说什么？"

他站的地方比她高，他本来身高就比她高很多，所以只能看见她发顶，蓬松干枯的头发随便梳成马尾，用皮筋扎在她脑后。他不是没有想过总有一天会重新遇见她，他也想过她总有一天会变成一个平庸的妇人。现在就是这样，平庸的几近令人厌烦，曾经让他迷恋的象牙色肌肤黯淡得像旧塑料，头发早就失去了光泽，还有她紧紧抓着包带的手，指关节粗大，皮肤粗糙得远远超过她的年龄——原来她只戴九号的戒指，那样纤细柔软的手指，握在手里几乎让人心碎，现在这双手，几乎让他没法认出来。想必一个病弱的孩子，一个不体贴的丈夫，才会让她变成今天这个样子。

他忽然生了一种痛快的戾气，几乎是冷笑，一字一句地说："这就是报应！"

她有点定定地看着他，像是下意识似的，将孩子搂得很紧。她像是没有听见，又像是听见不敢信的样子，喃喃地问："你说什么？"

"我说你儿子的病。"他伸手指着孩子泛着紫绀的脸，一字一句痛快地道出，"他这病，就是你的报应。"

他以为她会说点什么，甚至会破口大骂，他曾经见过有些女人骂街，那歇斯底里的样子令人生厌。如果她真的破口大骂，他一定会觉得痛快极了。

可是她什么都没有说。那双跟孩子一模一样点漆似的眸子，只是迅速地蒙上一层水雾，含着泪光，仍旧有点定定地看着他，就像是根本不认识他。这么多年，或许他们早已经相互厌憎，巴不得对方不再活下去吧。他有一种杀人之后的痛快，像是手术台上，利落地切除病灶，剥离肿瘤。她曾是他生命里的肿瘤，现在他终于可以将她剥离得干干净净。

她只用含着泪光的眼睛看着他短短的片刻，很快就低下头去，大约是怕他看见她哭。她一贯如此要强，她抱着孩子，转身就走了。

楼道里并不明亮，她一步步走到那暗沉的底下去，再看不见了。

快下班的时候，聂宇晟接到张秘书的电话，他说："聂先生想约您一起吃晚饭。"

"我没空。"

张秘书脾气挺好，脾气不好也做不了聂东远的秘书，他笑着说："您还是来见聂先生一面吧，他最近也挺忙的，推掉好多应酬，就想跟您吃顿饭。"

父子两个僵持也不止一年半载，起先聂宇晟还有点生气，到现在，连生气也懒得了。张秘书一再婉言相邀，他就去。约的地方当然是高端会所，从外头一路进去除了服务生几乎看不到旁人。进了包厢才看到聂东远一个人坐在桌子边，这些年来聂东远养尊处优，在自己的商业帝国里说一不二，任凭见了谁，都是一副不怒自威的样子。可是看到儿子，还是显得很高兴："怎么样？今天晚上咱们吃什么？"

"随便。"

聂东远把餐牌给服务生拿走，说："安排一下。"

打发走了闲杂人等，他才端详儿子："怎么又瘦了？"

"没有。"聂宇晟眼皮都没有抬，"有话就直说，我知道你时间宝贵。"

"你啊，再大也跟小孩子一样。"聂东远亲自替儿子斟上一杯茶，说道，"你都大半年没回家去了，跟爸爸生气，也不用这样吧？"

聂宇晟懒得答话，不停地拨弄自己的手机。

"你也知道，我血压高，血脂高，没准哪天眼睛一闭，就再也见不着你了。"聂东远好像十分伤感似的，"你就真的不肯原谅爸爸？"

"您从来不会做错事，不需要我原谅。"

聂东远笑了一声："犟脾气！"

服务生在外边轻轻地敲门，父子两人都不再说话，一道道的菜上上来，微暖的灯光映着，色香味俱全。

"尝尝这个。"聂东远说，"你不是喜欢吃狮子头，还说家里的厨师做的都是大肉丸子？这里的师傅说是苏州人，所以我今天才让你到这里来，尝尝他手艺怎么样。"

聂宇晟默不做声,服务生早就将瓷盅端过来,红烧狮子头十分入味,但他也只是沾了沾牙就搁回碗里,根本没有半分食欲。忽然听到聂东远说:"你也该交个女朋友,都三十岁的人了,一天到晚忙着做手术。男人虽然应该以事业为重,可是总不能为了事业,连女朋友都不找一个。再这么下去,哪天我要是死了,都看不见你成家。"

"我对女人没兴趣。"聂宇晟无动于衷,"你就当我喜欢男人得了。"

"胡说!"聂东远一直按捺的脾气终于发作,将手中的细瓷小勺"铛"一声扔在骨碟上,"你不就为了那个谈静吗?都七八年了还一副要死要活的样子。我怎么生出你这样的儿子?你真是鬼迷心窍你!你这几年过的什么日子,你以为我不知道?那姓谈的丫头早就嫁人生孩子去了,你还在这儿当情圣,她到底哪一点儿配得上你啊?她哪一点儿值得你这样,啊?"

"跟她没关系。"

"跟她没关系?"聂东远冷笑起来,"你是我儿子,你眉毛一动我就知道你想什么。跟她没关系,你这七八年过得跟和尚似的,连看都不看旁的女人一眼?跟她没关系,你学什么心外科?跟她没关系,你能口口声声跟我说,你对女人没兴趣?我看你是被她下了蛊,我真是想知道,姓谈的那丫头哪里就值得你迷成这样?"

"真的跟她没关系。"聂宇晟却是一脸的厌倦,"你不用在这里乱猜疑,有合适的人我自然领回来给你看。"

聂东远又冷笑了一声:"这话从六七年前,你就说过了。你在国外没遇上合适的人,回国来,医院里,也没遇上合适的人。在你心里,全天下最合适你的就一个谈静。可惜她这会儿只怕早嫁了人，说不定连孩子都有好几岁了。"

聂宇晟慢慢地握紧拳头，聂东远扫了他一眼："怎么？戳着你的痛处了？"

聂宇晟愤怒地紧闭着嘴，并不吭声。

"你死了那条心吧！"聂东远说，"天下好女人多的是，放开眼来挑一个，哪个不比她强。"

"我吃饱了。"聂宇晟将餐巾往桌上一扔，"我要回医院上夜班。"

一直开车走上四环，才发现车窗没有关，风呼呼地灌进来，吹得两颊滚烫。他踩着油门，车子其实有巡航功能，可是浑浑噩噩，脑子中是一片空白。

有很多很多次，他都想过，如果一恍惚，会不会冲进对面车道，撞个粉身碎骨。

可是终究还是没有。在国外的时候，可以用课业麻痹自己，博士学位一念就是两个，做不完的试验，写不完的paper；回到国内来，可以用忙碌来麻痹自己，做不完的手术，排不完的会诊。可是见到谈静的那一刹那，所有的一切卷土重来，就像是海啸。隔得那样远，他也一眼认出来那是谈静。她穿着蛋糕店的制服，低着头在那里忙碌。生活将她磨砺成另外一个人，可是他仍旧一眼认出来，那是他的谈静。

是真的鬼迷心窍，才会走进去，那时候就像踩在云上，看着她，一分分地近了，更近了，近得触手可及。后来她抬起眼睛看他的时候，就像中间的这七八年，不曾过去。他心里一阵阵地发软，觉得自己都有点把持不住，想要伸手去碰触她的脸，看她是不是真的，真的就那样站在自己的面前。

她变了很多，可是又一点儿也没有变，就像是梦里的样子。

他曾经无数次地想过，再见了谈静，会是什么样的一种情形，想到最发狂的时候，就对自己说，不能再想了，可是这一天真的来临，却原来，亦不过如斯。

没有天崩地裂，没有排山倒海，原来她也只是一个活在世间的凡人。

原来，曾经那样深刻的爱，最后也只留下不可磨灭的仇恨。

连他自己都不知道，为什么要说那样刻薄的话，尤其对着一个无辜的孩子。

此刻才渐渐明白，原来是嫉妒。

嫉妒那个跟她结婚的男人。

嫉妒那个跟她生孩子的男人。

嫉妒得发了狂。

他几乎不能想像她跟别的人一起生活，他根本不能去想，只要这个念头一起，他就觉得自己要失控，有一种毁灭一切的冲动。这种冲动让他几乎同时也想毁掉自己，毁掉这个世界。

谈静。

谈静。

多么普通的两个字，可是刻在了心上，今生今世，再不能忘。

【贰】

下班的时候梁元安塞给谈静九十块钱，一叠软软的旧旧的十元票子，他说："还有十块钱买烟了。"

谈静刚想推托，梁元安已经吹着口哨到更衣室去了。王雨玲看她迟迟疑疑站在那里不动，忍不住说："你就拿着吧，能买好几天小菜呢！"

这是句大实话。谈静默默地将那卷钱放进口袋里。因为有心脏病，所有幼儿园都不肯收孙平。谈静上班的时候总是将孩子放在店子附近的陈婆婆家，然后每个月给陈婆婆六百块辛苦费。陈婆婆人厚道，对孩子也非常好，有时候谈静是下午班，总是来不及去接孩子，陈婆婆就照顾孩子过夜。谈静觉得过意不去，所以总给陈婆婆的小孙女买点零食水果什么的。这失而复得的九十块，能顶好几天的菜钱。应不应拿这九十块，让她只犹豫了一会儿，就不再多想。

她吃过太多没钱的苦头，老话总是讲一文钱难死英雄汉，何况九十块。

这天她是上午班，下午三点就下班了，先去了小菜场，奢侈地买了一大条鱼，预备回去红烧，给孩子改善生活。其实孩子吃什么都瘦，可是只要条件允许，她总是尽量想办法，让孩子能吃得好点。以前妈妈身体不好，所以她从小就学着做饭，厨艺一直不错。聂宇晟从前就最爱吃她做的饭，她随便烧两个小菜，他都能吃下两碗米饭。他吃饭的样子特别斯文，吃什么都细嚼慢咽，唯独吃鱼特别快，简直像猫一样，而且可以把刺理得干干净净。吃完他就坐在沙发上摸着肚皮，总是说"老婆你又把我喂胖了"，要不就是"老婆，这样下去我真的要减肥了"。

她觉得自己不能再想了，接连两次遇见他，打乱了她原本死水一般的生活。可是又有什么必要呢？再想起他，只是徒增烦恼罢了。

孩子看到她就非常高兴，摇头晃脑地朝她跑过来，陈婆婆怕孩子摔着，跟在后面一路嚷慢点慢点。她笑了笑抱起孩子，问："乖不乖？"

"乖着呢。"陈婆婆说，"今天还跟玫玫学了加减法。"

陈婆婆的孙女玫玫上小学了，写作业的时候总会顺便教孙平数什么的，谈静总是感激不尽，连忙把手里的一袋苹果搁到桌"这个是给玫玫的。"

着不肯要，说："隔三岔五地总让你花钱，你带谈静一边说不要，一边抱着孩子闪身出了防盗门，陈婆婆被拦在了门里面，只好大声招呼："那你下次过来吃饭吧！"

谈静"哎"了一声，远远向陈婆婆说再见。

孩子搂着她的脖子，很乖巧地挥着手："婆婆再见！"

"再见！"

在公交车上是很快乐的时候，见她抱着孩子，总有人会给她让座。她再三道谢才坐下来，孩子总会咿咿呀呀地问她一些稚气的问题，跟她一起看路边的风景啊，人啊，商场啊，还做算数题给她听，让她觉得麻木的生活里，总还有一丝希望在。

她抱着孩子一口气爬上四楼，不由得气喘吁吁。把孩子放下来，正低头找钥匙，铁门突然从里面被打开了。她不由得怔了怔，看着孙志军那张脸。她很难得在白天看到他，也很难得今天他没有醉醺醺。他没吭声，打开了铁门。

孩子一直有点怕他，突然见到他的时候，总是呆呆的，胆怯地看着他，就像看着一个陌生人。谈静小声说："怎么不叫人？"

"爸爸。"

孙志军哼了一声，算是回答了。没理睬他们娘儿俩，径直走回沙发去。

谈静这才发现家里乱七八糟，箱子柜子抽屉全打开了，第一反应是进来了小偷，看着孙志平大咧咧坐在沙发里，一副没好气的样子，她才明白过来，问："你在找什么？"

"没找什么！"

孩子有点胆怯地看着她，她最不愿意的事就是当着孩子的面吵架，所以总是把孩子接回家的时间少，放在陈婆婆那里的时候更多。她看着孙志平声气不对，于是蹲下来问孩子："平平困不困，要不要睡午觉？"

孩子不太情愿地点了点头，她抱孩子进卧室，发现卧室里也被翻得乱七八糟，连床底下的鞋盒都被翻出来了。她把床上的衣物理了理，把孩子放在床上，替他盖上毯子，哄着说："平平睡一会儿起来吃晚饭好吗？"

孩子怯怯地看了她一眼，小声说："妈妈我不困。"

"那就玩一会儿。"她从零乱的东西中找到一个半旧的玩具汽车，那是孙平不多的玩具之一。

"妈妈出去跟爸爸说话，你一个人在这里，好不好？"

孩子的声音更小声了："妈妈你别和爸爸吵架。"

她觉得很难受，孩子见惯了他们争吵，即使她已经努力想要避免，可是孙志军那脾气，经常当着孩子的面就跟她吵起来。所以孩子一看到情形不对，就敏感地知道必然又有一场争执。

她也知道今天免不了争吵，所以走出去的时候就顺手带上了房门。她努力克制着情绪，让语气尽量显得温和，问坐在沙发上抽烟的孙志军："你到底要找什么，跟我说一声不就得了，把家里弄成这样，回头我又得收拾半天。"

孙志军却冷笑一声，将一盒东西却"啪"一声摔在她脚下。

玻璃碎了，镜框里照片上的两个人，却还安然微笑着。现世安稳，岁月静好，那是当时他写在照片背面的字。后来她才知道竟然是出自胡兰成与张爱玲，果然是一语成谶。

她低头看了看照片，那时候她的脸竟然是圆润的、饱满的，脸是有着特殊的光彩，连眼睛里都透着笑意，而他揽着她的腰，眼眉都舒展开来，同她一样笑得灿烂。

载，就像是上辈子的事似的，恍惚得令人觉得梦境一般。

盒子里还有些零碎的东西，都是聂宇晟送给她的。并不值钱，最值钱的也就是一枚胸针，上面镶了些碎钻。当初他把戒指要了回去，本来她也想过把这枚胸针还给他，但最后终于没舍得。他没向她讨还，她就悄悄地留了下来。因为这是他买给她的第一样东西，送给她的时候，她惊喜极了，一直以为，自己会长长久久留一辈子，传给子孙。

后来，后来就跟这张照片一起，被她深深地藏了起来，藏得她自己都不知道搁在了哪里，没想到今天却被翻了出来。

她听见孙志军在冷笑，她也知道自己看得太久，或许目光中甚至还有留恋。不，她并不留恋，因为从前的一切她尽皆失去了，那甚至已经不再属于她，包括那段记忆。

"还惦着那姓聂的呢？"孙志军鄙夷地看着她，"也不拿镜子照照自己，只怕那姓聂的在大街上遇见你，也认不出你来了！"

"我没惦着谁。"她把盒子拿起来，淡淡地说，"这些东西还值几千块钱，所以就留下来了。"

"那是，人家随手送样小玩意儿，就值几千块钱。你怎么不卖掉这个给儿子治病？你不成天发愁弄钱吗？"

她没有理会孙志军，知道他虽然没有喝酒，但也蛮不讲理，跟发酒疯差不多。所以她把盒子随手搁在桌子上，问："你到底在找什么？"

"我找什么关你屁事？"

她沉默了片刻，才问："你又欠人家钱了？"

孙志军倒没否认，反倒笑起来："是又怎么样？"

"家里没钱了。"

"就欠两万，你给我我还人家，回头我再还给你。"

她忍住一口气，说："我没有两万块钱。"

"你不是一直在攒钱吗？怎么两万块钱都没有？"

"你都好几年不拿工资回来，我那点工资，还要给平平看病……"

孙志军冷笑："聂宇晟不是回来了吗？你们不是又搭上了吗？那天他不是还送你回家吗？你没钱，姓聂的有的是钱！"

她脑中"嗡"地一响，没想到那天他竟然全都看见了。

"怎么，心虚呢？叫姓聂的拿十万来，我就跟你离婚！"

孙志军的嘴一张一合，还在说什么，她耳朵里嗡嗡响着，只是觉得一切都那么远。孙志军对她的态度并不奇怪，这么多年来，只要一提到聂宇晟，他就会想尽办法挖苦她。而她从来也不回应什么。没什么好说的，在旁人眼里，自己一直是愚蠢的吧，尤其是在孙志军眼里，她又有什么立场反驳呢？

哪怕聂宇晟早就不喜欢她了，哪怕命运和岁月把当初的爱恋变成深切的恨意，哪怕其实那天聂宇晟根本就不是送她回家。

还有什么好解释呢，她自欺欺人地想。原来的谈静在七年前就死掉了，活着的谈静是另一个人，连她自己都不认识的陌生人。

"不要脸！"

最后三个字声音特别大，孙志军的唾沫几乎都要喷到她脸上，她反倒有点凄惶地笑了笑，像是自嘲。

房门悄悄地开了一条缝，孩子乌黑的眼睛担忧地看着她，她连忙走过去对孙志军说："你饿不饿？要不我先做饭吧。"

这样温柔的声气并没有令他平静下来，因为他也已经看到孩反倒冷笑起来："老子不饿！"

出去了，铁门重重地磕在墙上，整个屋子都似乎一

似的，怯怯地扶着房门看着她，她勉强笑

家吃饭，妈妈做鱼给平平吃，好吗？"

孩子点了点头，悄悄地问："妈妈，爸爸又生气了吗？"

"没有。"她很努力地挤出一个微笑，"爸爸要加班，所以不在家吃饭了。来，平平看动画片，好不好？"

家里最值钱的电器是一台电视机，是在旧货市场买的二手货，因为孙平喜欢看动画片。在有限的经济条件下，她总是努力满足孩子的需求。因为在漫长而无望的时光里，其实这个孩子，曾是她活下去的唯一动力。

吃过饭她收拾了好几个小时，才把孙志军弄得一塌糊涂的屋子给收拾得像模像样。然后她就烧水给孩子洗澡，然后哄孩子睡觉。

因为太累了，孩子睡着之后，她也迷糊睡了一会儿，只是一小会儿，就梦见聂宇晟。

他仍旧穿着白T恤白裤，踏着落花而来，对她微笑。

等她伸出手想要碰触他的脸，他的整个人就突然消失在空气中，连一丝影子都没有留下。只余了她一个人，孤零零地站在那里，什么都没有。

她很快醒过来，并没有哭，只是有些心酸。

她已经很久很久没有梦见过聂宇晟。他已经吝啬到连在她梦中都不肯出现，自从离开他之后，她一共才梦见他三次，今天是第三次。

前两次梦见他都是七年前，那时候她会哭着醒来，泪水浸湿了枕头。她会睁着眼睛到天亮，一遍遍地想，想着梦里的情形，想着他的人，他说话的声音，他走路的样子，他看着她时的眼神……真是像真的一样啊……所以不舍得再睡。

而如今，她看着天花板，有些麻木地想，只有在梦里，他还是从前的样子吧。

现在他是什么样子呢?

冷漠，安静，拒人千里，甚至，带着一种戾气。

这戾气只是针对她，她也知道。

她想得有点难受了，终于忍不住爬起来，把那个盒子悄悄地拿出来。

借着窗子透进来的路灯的光，朦胧可以看见照片，他嘴角微翘，笑容像是透过如此漫长的时光，一直映到她的眼底。

她都快忘记他长什么样子了，她一直刻意地去忘记，忘记他这么个人。她把心里焊了个牢笼，把他和有关他的一切都锁了进去，深深地暗无天日地锁着，连她自己，都不允许自己去想。

可是今天晚上有点失控了，也许是因为孙志军把这张照片翻出来，也许是因为别的原因，她让牢笼里的那头猛兽跑了出来，对着自己张牙舞爪。

七年了，七年都过去了。

那么她想念他一小会儿，也是不打紧的吧?

她看着照片中的自己，虽然看不清楚，也知道那时候的自己笑得有多甜蜜。一生中最幸福和最快乐的时光，也就是那么短短一瞬吧。因为太少，所以都快被她忘记了。千辛万苦地活着，或许这一生都再不会有那样的一瞬，让她觉得，是值得。

有湿湿的水印烙在了照片上，她都诧异了，才知道是自己哭了。她以为自己再不会哭的，即使那天在医院里遇上聂宇晟，他说了那样难听的话，她都没有哭，可是原来还是会哭的啊，在夜深人静的时候，在没有人看到的时候，在独自醒来的时候。

她先是举手拭了拭眼泪，然后放任自己，默默地泪流满面。

窗外的竹子映进屋子里，竹影摇曳，仿佛一幅流动的水墨画。外面的平台是空中花园，每次聂宇晟回到家里，都会先给花园里的植物浇水，然后再洗澡。

可是今天他不想动弹，坐在客厅的沙发里，他什么事情都不想做。

确实是困了，下午做了一台漫长而复杂的急诊手术，他是主刀，所以就没有再安排他的夜班。

他倒是愿意值夜班的，因为在心外科，半夜总会有突发的危重病人送来，整个夜晚总是十分忙碌。忙碌的时候他不会胡思乱想，而独自在家待着的时候，他总觉得会失控。

比如现在，他就想到了谈静。

她会在做什么呢？

已经下班了吗？

蛋糕店打烊那么晚，说不定她还在路上的公交车上。

她在蛋糕店是收银员，一天也得站好几个小时，下班的时候，她会不会累得就在公交车上睡着？

他非常非常鄙夷自己，当他独自待着的时候，当他想起那个女人的时候，竟然仍旧会觉得心疼。

她原来是那样的漂亮，那样的温柔，那样的令他着迷。

她应该是一朵花，放在温室里，被精心地照料着，细心地呵护着。

而不是，变成今天这种样子。

手机响起来，他十分庆幸这时候有电话打来，让他停止这种胡思乱想。或许是医院有急事，他拿起手机，看到来电显示，怔了一下，还是接了。

"聂宇晟你欠我一个人情，这次你要是再不来救我，老娘这次就死定了！"

电话那头有细细的背景音乐，衬得舒琴的声音越发咬牙切齿，上次她打电话来叫救命，背景音乐是震耳欲聋的摇滚，这次竟然有进步了。他把电话拿得离耳朵远一点，才说："你不用那么大声，我听得见，还有，好女孩说话的时候，不可以带脏字。我欠你的人情早就已经还清了，而且我警告过你，你再这样，我会挂你电话的。"

"好的好的，聂医生求你了，医者父母心，看在我们多年患难之交的分上，快点来救我。"

"这次是哪里？"

"凯悦酒店。"

"好的，我大约半小时到。"

"聂医生你真是白衣天使！"舒琴的嗓音变得十分甜美，"我把包厢的名字短信发给你！"隔着电话也能想像她眉开眼笑，可能没想到他会轻易地答应。其实这次真是她运气好，他不愿意独自待在家里。

走进酒店的包厢他还是有点意外，舒琴满面笑容地站起来，向他介绍在座的几位客人。舒琴的小姨和姨父，一个是律师的年轻男人，还有律师的父母。这明明是局相亲饭，虽然舒琴做事情向来没谱，可是没想到这次竟然这样离谱。

舒琴把手插在他的臂弯里，一脸甜蜜地说："这就是我男朋友聂宇晟，他在医院工作，是心外科的医生。"

在座的人都一脸尴尬，尤其舒琴的小姨和姨父。聂宇晟虽然不习惯撒谎，可也只好含糊地打招呼："不好意思，我今天上白班，下班已经很晚了，接到舒琴的电话，才赶过来。"

这顿饭自然吃得没滋没味，倒是舒琴不停地给他夹菜，一边吃还一边说："不好意思啊，他可挑食了，葱姜蒜都不吃的，一点也不像当医生的人。"

聂宇晟被她这半娇半嗔的口吻说得一阵阵起鸡皮疙瘩，等吃完饭走出来，舒琴自然上了他的车，轻快地向众人挥了挥手："我们先走啦！"倒是聂宇晟，还规规矩矩向舒琴的小姨姨父道别，才绕到驾驶室去。

他一边系上安全带，一边对舒琴说："下不为例啊，我还以为你叫我出来救命，没想到是撒大谎。"

"撒大谎也是为了救命啊。"舒琴一脸的笑意在顷刻间都没有了，委顿在副驾的位置上，"我快被他们逼死了。"

"上次让我冒充你哥哥，这次让我冒充你男朋友，下次这样的事情别再找我了。我这个挡箭牌偶尔用用可以，用多了会被拆穿的。"

舒琴叹了口气，聂宇晟这才看了她一眼，问："怎么啦？"

"我快坚持不下去了。"舒琴将脸埋入掌心，"聂宇晟，告诉我，这么多年，你是怎么坚持下来的。"

他的眼角跳了跳，却不自然地笑笑，说："什么坚持不坚持，我是没遇上合适的人，再加上跟我爸赌气，其实我早就……"他稍稍停顿了一秒，说，"早就无所谓了，真要遇上一位好姑娘，我就结婚。"

舒琴将手放下来，瞥了他一眼，说："你这才是撒大谎。"

"是真的。"

"那我是一个好姑娘，你肯跟我结婚吗？"

聂宇晟看都懒得看她一眼，只是说："你都坚持这么多年了，怎么会嫁给我？"

"我快等不下去了。"舒琴忧郁地说，"有时候我都觉得我不是爱他，我只是习惯了等在那里。"

聂宇晟并没有说话，他有一点儿恍惚，或许他自己也早就不爱谈静了，他只是习惯了等待。可是这个习惯总让他在心里有个地方，隐隐作痛。

把舒琴送到家，她还郑重地跟他握手："今天的事，谢谢你了！你真是无敌好用的挡箭牌，一表人才，职业又体面，相亲的谁见了你，都自惭形秽。聂医生，下次他们要是再逼我相亲，你一定还要来救我。"

聂宇晟习惯了她嬉皮笑脸的胡说八道，只是微微一笑。

他和舒琴是在美国认识的，那大概是他生命里最漫长最无助的一段时光。聂东远反对他学医，得知他要出国的时候简直勃然大怒，一分钱生活费也不给他，而且把他所有信用卡附卡都停掉了。但他成绩优秀，拿到奖学金，还是走了。

异国他乡自然有很多不适应，何况他几乎是逃到美国去的。水土不服，而医科的课业又十分繁重，初到美国他就大病了一场，保险判定他需要支付几千美元的费用，那时候对他几乎是一个天文数字，用奖学金支付完这笔费用后，他就没有生活费了。所以病还没有好利索，他就开始利用假期打工，就是那时候认识舒琴的。

在美国的中国学生其实也分帮派，一般大陆的学生是一帮，台湾的学生是一帮，香港的学生是另一帮。而大陆的学生里面，又因为地域的关系分成很多小团体。他跟舒琴不是老乡，只是初到美国的时候在联谊会见过一次面，也没说过话。

那天他替老美剪草坪，波士顿的夏天并不热，可是剪草机嗡嗡响，而他前晚在图书馆刚熬了一个通宵，只觉得这噪音吵得心神不宁，不知怎么回事，剪到一半眼前一黑，人就晕了。倒把雇佣他的美国白人夫妇吓了一大跳，怎么唤都唤不醒他，正巧舒琴住在隔壁，隔着后院的篱笆看见了这一幕。舒琴本来不欲多管闲事，但一想毕竟都是中国人，还是自告奋勇翻过了后院的篱笆，跟那对白人夫妻一起将他抬进了屋。是舒琴拿定主意不送急诊室，她知道美国的急诊室越少去越好。于是从冰箱拿了块冰敷在聂宇晟的额头上，没过几分钟，他果然悠悠醒转。

从此舒琴的口头禅就是"聂宇晟你欠我一个人情"。那时候舒琴正与男友偷偷同居，还瞒着国内的父母。舒琴家里的条件不错，她的父亲是内蒙一个著名的矿老板，发迹之后把女儿送出国念MBA。后来得知她竟然结交了一个美国籍男友，试图留在美国，保守的舒家父母都没法接受，直接用计将她骗回国内，就把她护照给撕了，找关系既不让她补办护照，也再不让她出国去。

聂宇晟之所以跟她走得近，一半是因为在美国的时候，多承她的照料。那次聂宇晟晕过去，就是因为贫血。他挑食，原先在中国家里的时候，如果菜不对胃口，都是饥一顿饱一顿地混过去，何况在美国，手头又拮据，成天就面包之类的打发日子，偶尔去中国超市买几盒泡面，都算改善生活。舒琴虽然自幼娇生惯养，可舒家妈妈是个特别贤惠的女人，抱着会做饭的女人才嫁得出去的传统观点，硬生生把舒琴逼出来能做得一手好菜。在美国的时候，舒琴自己开伙做饭，就经常叫聂宇晟去打打牙祭什么的，当然聂宇晟也并不白吃，常常帮她改改paper什么的，舒琴虽然念的是商科，可是整个学校校风严谨，功课也是不轻松的。

聂宇晟之所以跟舒琴走得近的第二个原因就是同病相怜，两个人都有一个霸道保守而且说一不二的暴君父亲。舒琴被骗回国内之后曾经给聂宇晟打过一个漫长的电话，在电话里泣不成声，而他，只是无能为力。后来等他也回到北京，那时舒琴已经跟家里人奋斗了好几年，毅然出走直奔北京，找了份没滋没味的HR

工作，虽然不回家，可是也不结婚。气得老父成天吹胡子瞪眼，僵持了这么多年。

大约因为这种感同身受，所以聂宇晟唯一的异性朋友就是舒琴。舒琴偶尔带几罐啤酒过来找他，两个人坐在天台上喝酒，看着不远处长街上熙熙的车灯如流。舒琴总是伏在栏杆上，慢慢地唱："爱情它是个难题，让人目眩神迷……"那时候他总是微笑不说话，两个人通常只是各人喝着酒，想着各自的心事。舒琴酒量很差，可是喝醉了也不闹酒，就在他的客房里乖乖睡一晚，第二天爬起来，生龙活虎地上班去。

舒琴的家里盯了舒琴这么几年，可能也有点绝望了，并不要求她再回内蒙。而且舒琴的几个姨妈都在北京，于是开始轮流给她介绍男朋友，都是些品学兼优的大好青年，可是舒琴能推就推，像昨天那种情况，可能是实在推不过去了，才捞出聂宇晟当挡箭牌。

聂宇晟没想到第二天还能见着舒琴。他倒是很少上班时间见到舒琴。她穿得像所有OL一样，精致又得体。她在护士站问到聂宇晟的值班室，一听说她要找聂医生，好几个小护士都不由得扭过头盯着她看。聂宇晟见到她也十分惊诧，一问才知道她的顶头上司，一位台湾派过来的副总，心脏病突发，送到他们医院来了，昨天晚上整夜都在急诊观察室，今天希望能够住院动手术。众所周知，他们医院的床位十分紧张，所以舒琴特意过来请托他。聂宇晟沉吟片刻，说："住贵宾病房吧，只有那个有空房。"

一听见他这样说，舒琴就飞快向他使了个眼色，聂宇晟没办法，只好站起来跟她出去，一直走到安全楼梯那里，舒琴才告诉他："贵宾病房的话，保险不给报销，你想想办法。"

"那也没办法,我们医院的手术都要排期的,在他前面,还有许多病人在排队。"

"考虑一下两岸关系嘛!"

"是啊,所以我说可以安排到贵宾病房。"

舒琴有点哭笑不得,说:"你真是个死脑筋!"她素来知道聂宇晟的个性,他是非常直截了当,而且在医学院待久了,其实挺简单的,不怎么太擅长处理人情世故。没接触的人常常觉得他为人冷漠又清高,实质上他是不怎么太会跟人打交道,尤其是复杂的人事关系。

舒琴叹了口气,说:"算了,我想想别的办法吧。"她心事重重,懒得再走过去搭电梯,转身就朝楼梯下走去。她今天上班,长卷发高高地束成马尾,显得干脆利落。她意兴阑珊地一步步往下走,楼道里并不明亮,她一步步走到那暗沉的底下去,聂宇晟没来由突然觉得心软,在他自己还没有反应过来之前,他已经"喂"了一声,很没有礼貌,也没有叫她的名字,只是很冲动地想要阻止她。

舒琴扭过头来看他,他这才觉得自己十分失态,所以勉强笑了笑,说:"算了,我再替你想想办法吧。"

最后他去跟方主任说,说是自己家的一个亲戚病了,想尽快排期手术,请方主任帮忙。因为他从来不向科室开口提任何要求,这种人情请托更是破天荒地第一次,所以方主任很痛快地答应了,让人安排了一个床位。

舒琴一直站在走廊里等消息,听到他从方主任办公室出来说有床位了,顿时眉开眼笑,说:"聂宇晟我欠你一个人情,我晚上请你吃饭。"

聂宇晟说:"吃饭就不用了,你以后少找我麻烦就行了。"

"吃饭一定要的！你以为我会一直欠着这个人情不还吗？咱们吃饭，吃完就算两清！"

聂宇晟没有办法，只好点头答应。

舒琴对吃很讲究，而且聂宇晟又是个挑食的主儿，她请客选的地方还不错，菜好吃，环境也安静。吃饭的时候聂宇晟才知道为什么舒琴这么着急甚至来找他托关系进医院，原来这个副总不仅是她的顶头上司，而且是董事长的一个亲戚。

"公司的重要主管不是台湾人就是外国人，我特别受排挤。可是他们越排挤我，我越想做出个样子来给他们看看。我不算这位副总的嫡系，可是这次我帮了他这么一个大忙，连我们董事长，也格外见情。所以，今天要好好谢谢你！"

聂宇晟没想到这中间还这样复杂，医院虽然也有各种人事关系，可是医院毕竟是个凭技术吃饭的地方，尤其方主任又是个唯人才是举的老牌知识分子。只要技术好又勤奋好学，科室主任就喜欢他，他肯帮助别人，科室其他同事也喜欢他。他对病人好，病人和家属也就十分信任他。正是因为这样一个简单的环境，让他循规蹈矩地生活，平静而无波。

他明白舒琴为什么坚持，因为自己也是这样的执拗。聂东远不止一次表示想让他回去学着管理公司，可是他只是深表厌恶。他离开家庭，希望自己能够凭着双手独立。因为那个家曾经给自己带来伤害，所以希望以这种方式，脱离自己厌恶的一切。

舒琴比他更不容易，一个女孩子放弃安逸的环境，在外头闯荡，自然比他更艰难，所以他举杯："来，敬你。"

"谢谢！"舒琴的眼波一闪，倒似有无限伤感似的，"聂宇晟，幸好有你，你简直是我的救命稻草。"

他有意放松了语气打趣："那你的Mark呢？"

Mark是舒琴的男友，聂宇晟一次也没有见过他。据说舒琴回国之后，Mark就跟她分手了。一来二去，Mark渐渐成了一个忌讳。舒琴几乎从来不在他面前提到Mark，就像他从来不在舒琴面前提到谈静一样。

大约是喝了点酒，所以舒琴明显迟疑了一下。她歪着头，一手支颐，像个小女生一般，想了好久好久，终于说："他是爱情——有时候，某个人就是爱情本身。你可以忘记他的样子，你可以忘记曾经发生过的一切，你可以满不在乎地说，一切都早已经过去。可是你怎么能够忘记爱情本身？"

舒琴的话让聂宇晟怔了怔，舒琴的这些话，让他觉得无限的伤感和迷惘。聂东远总说他是鬼迷心窍，他也无数次地挣扎，想从某个魔咒中获得解脱，他甚至刻意地不去想某个名字，他甚至觉得所有的一切都已经过去，而所谓的爱恋只是一时痴迷。

可是有时候，某个人，就是爱情本身。

你怎么能够忘记爱情本身？

【叁】

自从上次孙志军把家里翻得乱七八糟之后，谈静就觉得把存折放在家里太不安全了。她把存折藏得很严密，但再严密也总是担心被孙志军找到。那些钱，都是她一点一点从牙缝里攒出来的。她想来想去，打算不把存折放家里了，于是跟王雨玲说，能不能把存折放在她那里。

王雨玲平常最不喜欢孙志军的为人，听到她这么一说，就猜到了七八分，说："他又问你要钱了？"

谈静不出声，只用筷子挑着面条。她和王雨玲都是下午班，现在还没到上班时间，两个人在巷口小店里吃面。每次下午班的时候总来不及在家吃饭，都是这样随意在外面打发一顿，然后再到店里去换衣服交接班。

王雨玲说："这种男人你还要来干什么啊？既不往家里拿钱，还管你要钱。"

结婚之初他们和王雨玲合租一套两居室，所以王雨玲对他们的情形非常了解，也因为那段合租的时间，王雨玲非常同情谈静，可是她的同情，并不能给谈静带来太大的帮助。

这时候见谈静垂着眼皮不说话，王雨玲又恨铁不成钢了："你真是心肠软！要是我，早就跟他离婚了。"

谈静这才说："他也不是总这样，是这两年才变成这样的。"

王雨玲不吭声，孙志军刚开始对谈静也还真的不错，尤其谈静坐月子的时候，孙志军一个人忙里忙外，既要上班，又要照顾谈静和孩子。经常回家之后匆匆忙忙洗尿布，然后跑到菜场买菜。那时候谈静不能上班，孙志军的收入也不多，王雨玲曾经在菜场里见孙志军跟鱼贩子软硬兼施地讲价，就为了买条便宜点的活鲫鱼回去炖汤给谈静喝。凭良心说，王雨玲觉得那时候的孙志军还是个不错的丈夫和父亲。但后来他迷上了喝酒和打牌，谈静的日子就渐渐难过起来。

王雨玲素来心直口快，是个直来直往的脾气，一看到说到孙志军谈静就不做声了，她就直皱眉头："唉呀，当我没说好了，你要放在我这里就放在我这里吧，反正我不会问你要保管费的。你自己把密码保管好，要是被小偷偷走了，我可不负责。"

谈静笑了笑，说："谢谢。"

王雨玲翻了个白眼，说："真酸！"

她们吃完了面条，就直接去店里上班。刚换好制服，就听见值班经理说："今天大家都打起点精神，待会儿总公司的主管要过来巡视。"

他们是大型连锁店，管理严格，每个月总公司的各级主管，都会轮流不定期抽查巡视各连锁店面。因为这种巡视很常见，所以店里的员工都没太在意，只是像平常一样工作。下午的时候，店里的客人不多，就一个中年妇女模样的人在挑面包。

因为店里的柜台都是半开放式，尤其是面包柜台，都是有机玻璃做成的透明隔断，顾客有时候自己拿着盘子挑选。而花式的蛋糕切片，通常因为比较容易弄坏造型，所以特意放在冷柜里头。王雨玲一看到客人走过去，就笑着招呼："您要什么蛋糕，我帮您拿吧。"

那中年妇女没有理会王雨玲，径直去开冷柜门，王雨玲眼疾手快，连忙帮她开门，又说："您要哪个蛋糕，我帮您拿吧！"

那人还是没理她，径直拿夹子去夹蛋糕，新鲜的蛋糕特别松软，夹的时候非常需要技巧，而那位客人没什么经验，一手拿着夹子，一手拿着托盘，刚刚一夹起来，还没来得及放入托盘里，就"啪"一声掉在了地上。

王雨玲见状，连忙拿抹布和拖把来收拾，那人似乎也觉得甚是无趣，旁边的店员走上来替她夹了蛋糕，走到收银台结账。王雨玲本来心中有气，看到她走去结账，就放下拖把，走过去对谈静说："两块黑森林。"

谈静怔了一下，看盘子里只有一块黑森林，还没有说话，那中年妇女已经嚷起来："凭什么收我两块的钱！"

"您开冰柜门的时候，我就问您要哪块蛋糕，我替您拿，您不理我，结果拿的时候又不小心，蛋糕掉在地上……"

"我又不是故意的，凭什么叫我赔？"

"您把蛋糕弄掉在地上，您不赔难道叫我赔？"

"你说的这是人话吗？我又不是故意弄掉的，掉地上的蛋糕谁知道你们会不会捡起来再卖！"中年妇女恼羞成怒，"这蛋糕我不要了！"

王雨玲拉住她不让她走，一时两个人争执不下，值班经理也过来了，那中年妇女就嚷嚷起来："你们这是什么态度？买个蛋糕还强买强卖！我要上工商局投诉你们去！"

"您投诉吧！随便您上哪儿投诉！"王雨玲是个火暴脾气，气鼓鼓地说，"反正这蛋糕是你弄掉在地上的，你得赔！"

"你拉着我干什么？放手！"

"我不拉着你你就想开溜！你把蛋糕钱付了我就放手！"

那中年妇女破口大骂，骂得甚是难听。门铃一响，店里进来了几位客人，值班经理怕王雨玲再跟客人争吵，努了一下嘴，示意王雨玲去招呼顾客，自己好声好气地安抚客人："这样吧，虽然蛋糕掉地上真是您的责任，但我们这次就不要求您赔偿了。可这块黑森林，已经从冷柜取出而且为您打包，您就付这块蛋糕的钱得了。"

那中年妇女见进来的几位客人都往这边看，益发趾高气扬："这块蛋糕我就不要了！刚才要不是那个人推我，我也不会把蛋糕掉地上！我今天就不买你们家蛋糕了！你们还能强迫我不成？"

王雨玲本来已经去招呼那边的客人了，一听到这话，忍不住冲过来，说："谁推你了？你把话说清楚！我一边帮您开门，一边还说，要哪块蛋糕我帮您拿。结果你压根就不理我，自己把蛋糕弄掉在地上，还诬陷说是我推你！谁推你了？"

"就是你推我了！你不推我蛋糕怎么会掉在地上？"

"我根本就没碰过你！"

"就是你推我了！我要投诉你们！你们自己把蛋糕弄掉在地

上，还说是我弄掉的，硬逼着我把蛋糕买回去！"中年妇女洋洋自得地冲着那堆客人嚷嚷，"千万别买他们家蛋糕！这就是一个黑店！"

王雨玲气得浑身发抖，连一句话都说不出来。谈静素来不会跟人吵架，值班经理看她冲着其他客人大喊大叫，心下也着急，说："我们已经不要求您赔偿了，您说话要负责任的！我们同事并没有推您，是您自己把蛋糕弄掉在地上。"

"你亲眼看见了吗？在冷柜那边只有我们两个人，就是她推的我！她推完就说是我自己弄掉的，血口喷人！"

"这个角度应该有监控器。"在一旁似是看热闹的客人突然指了指冷柜上方的摄像头，插了句话，"把监控录像调出来看吧。"

值班经理有些为难："我们没有调看监控录像的权力，我们只能向总公司安保部门申请，一层层申请上去，通常得好几天时间。"

"给他们授权。"客人回头跟自己的同伴说。

拎着笔记本电脑的人立刻答应了一声，打开电脑，输入密码和一连串指令，然后将电脑屏幕转过来对着众人。

就是刚刚监控器的画面，拍得清清楚楚，只见王雨玲替客人开冷柜门，然后客人夹蛋糕的时候掉在了地上，王雨玲去拿抹布，另一位店员上前来，拿了另一块黑森林，替客人打包。

中年妇女这才哑口无言，她本来想借机闹一闹赖账，没想到这群客人竟然跟店里是一伙的。悻悻地取了钱出来，一边付账一边骂："黑店！"

那人微微笑："我们打开门做生意，欢迎客人来买蛋糕。顾客就是上帝，可是上帝也不能蛮不讲理。"

中年妇女拿着蛋糕悻悻地走了。值班经理忐忑不安地向那两位客人自我介绍："您好，我是本店的值班经理。"

"您好，我是安保部的同事，我姓孙。"拿着电脑的那人向值班经理介绍，"这位也是同事。"却没有介绍刚才仗义执言的那个人的姓名。

值班经理早就猜到了这两个人是总公司派来巡查的，所以格外的懊恼，连忙叫过王雨玲，王雨玲也没想到正好撞见总公司派人来巡视，总之是自己倒霉，心里早就把那胡搅蛮缠的客人骂了好几遍。但好在总公司派来的人还替自己说话了，又调了监控录像证明清白，总算不觉得憋屈。所以她低着头，一声不吭。

那人说："今天的事情，我需要你们两个人都写一个……"他顿了一下，才说，"一个解释信，最好是英文的，我需要你们解释，为什么同客人争执。还有，我也需要向我的上司解释，为什么越级调用监控录像。这封信请直接交给你们的区域督导，他会转给我。"

公司管理等级森严，王雨玲素来不跟上层管理人员打交道，值班经理却是知道一点儿的。这位总公司的同事仗义地违规调用监控录像，让无理取闹的客人知难而退，实在是帮了自己和王雨玲的大忙。听他说需要向上司解释，所以连连点头："您放心，我们会写解释信。"

"OK，谢谢你们的配合。"那人彬彬有礼，他可能是南方人，说话的时候咬字不准，前后鼻音分得不是特别清楚。谈静不由得抬头看了他一眼，就像所有总公司的同事一样，他穿着浅色衬衣，大热天袖口还扣得好好的。并没有一点像聂宇晟，只除了说话的时候，那不标准的普通话。

她觉得自己一定很失态，因为那个人也注意到她在看他了，所以也看了她一眼，她连忙低下头，眼观鼻，鼻观心。

　　等总公司的同事走了，快到打烊的时候，王雨玲一边清理架上没有卖完的面包，一边犯愁了："这个解释信，应该怎么写？"

　　值班经理也犯愁了："我打电话问问吧。"他给其他几个店的值班经理打了电话，其他店的值班经理也很少写过什么解释信，就是有一位值班经理某次因为卫生检查的时候不合格，写过一个中文的检讨。

　　值班经理和王雨玲都没辙了，还是王雨玲想起来："谈静，你读书更多，你知道这个解释信应该怎么写？"

　　"我也没有写过……"谈静想了想，"不过解释信……英文应该叫做The letter of explanation吧？就把事情说清楚就行了。"

　　王雨玲大喜，说："我都忘了你英语好，得了，这个解释信，你帮我写吧！"

　　值班经理也一脸的诧异："谈静，你还会英语啊？"

　　谈静很快地低下头，她不太愿意提到从前的事，只是轻描淡写地说："也就是高中的时候学过。"

　　"别扯了，你比高中生的英语好多了，你原来跟我租房的时候，只有一台收音机，你天天听那个什么……BBC！我都不知道叽里呱啦在讲什么，你都听得懂。"

　　谈静淡淡地笑了笑，原来为了跟聂宇晟一起出国，她下功夫学过英语，不过那都是过去的事情了。

　　下班之后值班经理请客，请她和王雨玲吃饭。值班经理一直挺喜欢谈静。因为谈静勤快，对工作从来不挑肥拣瘦。所以他说："把你儿子接出来，一起吃顿饭吧。"谈静连忙说："不用麻烦了，他在陈婆婆那里也挺好的。小孩子跟着咱们，一会儿要吃，一会儿要睡，可麻烦了。"

　　"就接出来吧。"王雨玲插话，"我也有好一阵子没看到平平了，接出来让我看看。"

值班经理因为有求于谈静，也顺水推舟："是啊，把他接出来，咱们去吃点好的。"

谈静拗不过，只得先去接孙平。孩子看到她特别高兴，听说要带自己去餐馆吃饭，就更高兴了。谈静细心地叮嘱，一定要叫人，一定要有礼貌，吃饭的时候不可以挑食，这才带着孩子到了约好的餐厅里。

值班经理只听说谈静结婚有孩子，这也是当时肯聘用谈静的原因——未婚女店员流动性太大了，可能公司刚做完上岗培训，就闹着辞职走人。所以有家有孩子的员工，反倒更稳定。值班经理还耐心逗孙平玩，笑呵呵地对谈静说："你这么点年纪，孩子就这么大了，真是好福气啊。"

谈静笑了笑，她本来就不爱说话，尤其在值班经理面前。倒是孙平很少到餐厅吃饭，忍不住瞪着一对乌黑的眼睛四处张望。但他一向很乖顺，听大家说话，也不插嘴问东问西，只是老老实实地吃饭。王雨玲说："哎，每次看到平平，我就想嫁人，好生这么一个乖宝宝，太可人疼了。"

值班经理笑着说："也只有谈静这么斯文，才生得出来这样的乖宝宝，你要嫁了人，也只会生个调皮鬼。"

王雨玲背着值班经理做了个鬼脸。值班经理平常不怎么喜欢王雨玲，王雨玲原本就是个刺头儿似的。不过这次因为那个无理取闹的客人，值班经理跟王雨玲倒是生了一种同仇敌忾的心。吃完饭之后，两个人就一人拿一张白纸写那封解释信。

王雨玲的作文不怎么好，只能勉强达到句子通顺，值班经理写得倒还挺不错，条理清楚。值班经理看王雨玲写了半天才写了几句话，于是把她那张纸拿过去，说："我替你写得了。"

　　一会儿值班经理就帮王雨玲写完了，然后一起交给谈静翻译。谈静看了看两个人写的信，都是平铺直叙从顾客拿蛋糕讲起，于是大着胆子建议，说："公司的经理们听说有很多都是从国外回来的，他们不了解国内的情况。而且他们理解的角度跟我们不太一样。既然让我们写英文的解释信，那么肯定是给一个更熟悉英文的人看的。从前员工培训的时候，培训老师就说，不管什么原因，跟顾客吵架就是不对的。作为店员，我们跟顾客吵架，管理人员就会觉得我们做错了。所以要不我们把那个客人诬陷王雨玲推她这段放在最前面，表明我们不是跟她吵架，我们是和她据理力争。"

　　值班经理说："对！对！就这么办！"

　　谈静把两封信的内容稍微修改了一下，然后埋头翻译。谈静虽然下苦功学过英语，可是毕竟丢了这么多年，很多单词一时都想不出来，即使想到了，也拿不准对错。最后终于翻译出个大概内容。三个人又找了个网吧，谈静就用在线词典一个个核对修改，最后弄到半夜，才把这两封解释信翻译完了。这两封信虽然很简单，但谈静好长时间没有做过类似的翻译，不放心又检查了三四遍，才对值班经理和王雨玲说："应该差不多吧。"

　　依着值班经理的想法，就想第二天找个打字复印的小店，把这两封信打印出来寄到总公司去。谈静说："寄过去虽然是市内，但在邮局里转一圈，得好几天呢，不如直接发个邮件得了。"

　　值班经理虽然经常上网聊天，可是从来没有发过邮件，谈静就仍旧一手代办了。她好几年不曾用过电脑，打开免费的邮箱网页，几乎是不假思索输入一个用户名，刚刚输到一半，就怔怔地呆住了。王雨玲看她发呆，就问："怎么啦？"

　　"没事。"她飞快地将那行用户名删掉，重新进首页随便注册了一个邮箱，然后把电邮发往负责他们店的区域督导的邮箱。

因为这件事办得格外顺当，值班经理也十分感激，对谈静说："谢谢啦！真没想到咱们店还有你这样的人才。"

谈静笑了笑，说："应该的啊，再说今天的事明明是那个客人不对。值班经理你也是为了我们说话，才要写这封信。"

他们从网吧出来，时间已经很晚了。孙平早就睡着了，谈静翻译信件的时候，王雨玲就替她抱着平平。这时候地铁也已经停了，王雨玲住得近，就跟谈静说："要不你跟平平去我那里凑合一晚得了，明天还要上上午班。"

谈静一个人抱着孩子，又累又困。心想自己回家去，若是孙志军上夜班还好，若是他在家，不定又要吵架，她今天实在是觉得累了，不想抱着孩子再转好几趟公交，于是就答应了。

王雨玲跟老乡合租，屋子里乱糟糟的，谈静看不过去，就随手收拾了一下。王雨玲说："你这个人，就是太贤惠了。"

谈静笑了笑，将大堆的衣服挂到简易的衣柜里去，问她："你跟梁元安，打算怎么办啊？"

"什么怎么办啊？"王雨玲倒是一下子连耳朵都红了，"我跟梁元安有什么关系？"

"你不挺喜欢他吗？"

王雨玲立刻从床上爬起来："谁说我喜欢他了！"

谈静只是微笑不语，王雨玲瞪了她一会儿，倒跟泄了气的皮球似的："谈静，你怎么什么都知道。"

谈静只是拍了拍她的肩膀，说："梁元安人不错，心地挺好的，就是太大手大脚了一点儿。"

"就是啊，他是高级裱花师，每个月工资比我们高多了，可是就存不下钱。好容易去年攒了点钱，一股脑儿寄回老家，给他妹妹办嫁妆去了。谁要是嫁了他，还不跟着他喝西北风啊。"
王雨玲似乎挺烦恼的，"再说，他那个人没事还喜欢喝点酒，谈
静，我真的有点怕了。"

谈静当然知道她在怕什么，怕梁元安跟孙志军一样。想想自
己过的日子，她嘴角微抿，倒是再也不愿意说什么。王雨玲看她
连眉头都皱起来，连忙好声好气地安慰她："谈静你别生气啊，
我不是那个意思。唉……我就是不会说话，这张嘴太笨了，老惹
人生气。"

谈静勉强笑了笑："我没生气。你考虑的也挺对的，结婚是
件非常郑重的事情，考虑得多，以后的烦恼就会少。"

"我都不明白你为什么会嫁给孙志军。"王雨玲是个心直口
快的人，"老实讲，他真是配不上你。"

谈静笑了笑，说："什么配得上配不上，我自己命不好罢
了。"

这时候不知道为什么，床上的平平醒了，揉着眼睛叫"妈
妈"。谈静连忙过去拍了拍他的背，他却抓了抓肚皮，揉着眼
睛，说："没洗澡……睡不着。"

刚才在网吧里太闷，母子两个都出了一身汗，陈婆婆将孙平
照顾得很好，夏天的时候每天都给他洗澡。这孩子习惯了清清爽
爽地睡觉，明明睡着了，这个时候还是醒了。

王雨玲连忙找了条新毛巾给谈静："洗澡去吧，这房子有热
水器，洗澡可舒服了。"

热水器洗澡确实舒服，孙平站在花洒下，眼睛都眯成了月牙
儿。咕哝说："妈妈，我们也买个热水器吧。"孩子很少开口向
她要什么东西，因为太懂事了。知道自己的病花了不少钱，她的
工资永远不够用。谈静心酸地想，真应该买个热水器，每次给孙

平洗澡，她都是用煤气灶烧水，尤其是冬天，一烧一大盆。每次洗完澡，母子两个又是一身汗，而且水也省不了。可是她也去商场里看过，有牌子的热水器都得一千多块，太差的热水器，又不敢买，怕用着出事故。

洗完澡她把孩子抱回床上，王雨玲说："你们娘儿俩睡这儿，我去隔壁跟老乡挤一挤。"

谈静还要推辞，王雨玲已经拿了衣服洗澡去了。

谈静躺在床上的时候，暂时把热水器放到脑后，今天她已经非常累了，尤其在网吧翻译那两封解释信。网吧里人又多，又闷，还有不少人在抽烟，空气实在是污浊。她一个字一个字地核对单词，修改语法，改了又改，像在完成一份困难的作业。

以前总是聂宇晟替她改英文作文的，他学什么都比她快，比她好。她已经是出了名的好学生，可是对于他，真是望尘莫及。而且他的成绩，通常并不来自于勤奋。

"那是因为我聪明。"他总是用指头轻轻戳戳她的脑门，"笨丫头。"

已经过去这么多年了，没想到自己打开邮箱的首页，还记得那个用户名。或许她真是笨，所以才对过去的一切念念不忘。

她实在是太困了，有一种身心俱疲的虚弱，平平急促的短暂的呼吸声，就在她的耳畔，跟常人的呼吸不同，孩子经常喘不过气来。每次去医院，医生都对她说，必须得做手术了，可是她上哪里去弄那一笔天文数字的手术费。

她一定得想出办法来，半梦半醒之间，她模模糊糊地想，她也一定会想出办法来。

"聂医生。"

聂宇晟回过头来，见是同事，淡淡地打个招呼："李医生。"

"今天你跟方主任争得脸红脖子粗，真是令人大开眼界。"李医生笑嘻嘻地说，"先是用中文吵，吵到一半换英文，最后又换德文，两个人引经据典，把霍普金斯最新的几篇论文都拿出来理论，连基因学都捎带上了，吵架吵得这么有水平，真是太难得了。"

聂宇晟低着头说："主任是留德的，德语说的比我好。"

"这不是德语好不好的问题，敢跟方主任据理力争，你真是头一份！"李医生忍不住伸出手指摇了一摇，说，"全院上下，连院长都不敢说的话，你全都说了。你厉害，我服了。"

"方主任反对引进这个项目，是因为风险太大。可是对新生儿而言，即使是传统的心脏手术，仍旧有很高风险。"聂宇晟叹了口气，"但是人类医学的进步，无不是以风险和失败为代价，我们只是给病人一个更多的选择。"

"但是那家医疗公司给予高额的补贴，或许有生活困难的病人，就会不得不选择这种手术方式。"方主任的话似乎又一字一句清楚地响起，"聂宇晟，我知道你不以为然。病人选择这个手术，肯定是因为他们没钱做常规的心脏手术。医者父母心，你有没有想过，如果你是病人的家长，你被迫选择一种高风险不成熟的手术方案，你会承受什么样的心理压力和愧疚？"

"可是如果他们没钱做常规手术，仍旧是拖延病情甚至不治。"他冷静理智地反驳，"我们给病人机会，总比不给病人机会要好。"

"你给的是机会吗？你给的是一个荒谬的选择。把病人当成练习不成熟方案的靶子，你是医生，你有没有想过，你每一刀下去都是人命？"方主任最后气得连脸都红了，直接指着会议室的大门，"聂宇晟你给我滚出去！"

他怔了一下，旋即很平静地从会议室走出来。没过半天时间，这场争执就整个科室都知道了。大家倒也没觉得谁对谁错，在临床的时候太久，有时候看到病人甚至都麻木了，尤其他们心胸外科，生离死别，几乎每天都在病房里头上演。聂宇晟刚到医院的时候，通宵抢救一个病人，结果没救过来。病人家属在手术室外号啕大哭，他冲进洗手间打开水龙头，眼泪纷纷地往下掉。

一个活生生的生命，就这样悄无声息地逝去，没有经历过的人，是不会有那种强烈的震撼与惊恸的。可是又怎么样呢？最后连他都已经习惯了。他会尽最大的努力去救治病人，他会在手术台边聚精会神一站数个小时，但如果最后的结果是不幸的，那么就承认这是命运的安排吧。

李医生很能体谅他的心情，拍了拍他的肩，说："我知道，你是为了十四床那个病人。"

那是个很可爱的小宝宝，才六个月大，因为特别复杂的先天性心脏病，辗转送到了他们医院。为了给孩子治病，年轻的父母已经把乡下的房子卖掉，又借遍了亲朋好友，可是仍旧凑不齐手术费。昨天的时候终于要求出院，年轻的父亲握着他的手，嘴角直哆嗦："聂医生，谢谢你，娃儿没这福气，就当她白来这世上一遭。我们实在没办法了，不治了，回去再生一个。"

他看着年轻的母亲躬着身子抱着孩子，一路哭，一路去办出院手续。

医院里这种事情太多太多，不胜枚举，他仍旧觉得心酸。这种时候，即使是一线希望，也总比绝望要好吧？所以当国外那家医疗公司提出补贴计划的时候，他毫不犹豫建议方主任接受。结果在开会的时候，两个人就这件事争执起来。

方主任的话其实有道理，他并不是不知道。这世上并没有免费的午餐，何况是资本主义的跨国医疗器材公司。所有补贴的目的，自然是全力推广新型的人造心血管和人工起搏器以及心脏支架等等器材。

他只是有一点郁闷，也有一点不甘心。不由得叹了口气。

李医生听见他叹气，说："你别烦恼了，主任也是为你好。换作是别人，他才懒得骂呢。"

他也知道，方主任对他其实一直挺偏爱的，但凡大型会诊都带着他，疑难手术也带着他，虽然他做对了从来不被表扬，做错了一定会挨骂，可是在临床这种经验其实是最难得的。方主任本来就是博导，手底下带着好几个博士，他虽然不是方主任的弟子，却是全科室所有医生尤其年轻医生中，最被重视的一个，而且方主任对他，从来就是无私地倾囊相授。

晚上下班的时候，他去停车场，正好遇见方主任。医院给各大科室的主任都配了有车，尤其像方主任这样德高望重的权威，不仅配了车，还配有司机。聂宇晟看司机打开车前盖，埋头在鼓捣什么，估计是车坏了。虽然已经是黄昏，可是医院的停车场是露天的水泥地，一阵阵热浪蒸腾，西斜的太阳照在门诊大楼的玻璃幕上再反射回来，更晒得人难受。

聂宇晟连忙走过去，问司机："怎么啦？"

"又坏了。"司机无可奈何地说，"好像是电瓶没电了。"

"要不，主任就坐我的车吧。"聂宇晟说，"太热了。"

方主任看了他一眼，似乎未置可否。聂宇晟说："正好我还有两个问题，想请教您，是关于三十五床的病人。"方主任虽然气还没消，可是他从来不当着行政人员或者病人的面给聂宇晟难堪。这大约也是一种护短。有时候当着一屋子医生的面把聂宇晟骂得狗血淋头，可是只要有护士或其他行政人员进来，他就立刻收声。

所以方主任带的几个博士生总开玩笑说聂宇晟其实才像是方主任的关门弟子，因为他挨骂最多。方主任曾经对自己的学生说过："骂你们是为了你们好，当着专业人士骂你们，更是为了你们好。有外人在，就不说了，外行人不懂行，你们当医生的，在病人面前应该有自己的威严。"

现在当着司机的面，方主任当然不会驳他的面子。

聂宇晟开的是一部别克，在年轻医生里头，不算好也不算坏。方主任最开始挺不待见他，说年纪轻轻刚参加工作就买车，是公子哥脾气。后来时间久了，才知道聂宇晟根本不用家里的钱，他在美国上学的时候就开始炒股票做期货，而且收益还不错。

聂宇晟把冷气开到最大，方主任这才跟他说了一句话："我家的地址你知道吗？"

"知道。"聂宇晟过年的时候还被方主任叫到家里去吃饭，因为在排值班的时候，聂宇晟主动要求值大年三十的夜班。方主任虽然嘴上不说，点滴事情却都看在眼里，第二天就叫他去自己家吃饭。方主任以身作则，每次值班都是排大年初一。方主任的太太在市图书馆工作，知书达理又非常贤惠，老早就在家听方主任夸过聂宇晟无数次，所以也把他当成自己子侄一样，烧了一桌子菜款待他。方主任很少在自己家招待同事，所以科室的同事们都老讲笑话，说方主任真心疼聂宇晟，可惜主任没有女儿，不然一定会把女儿嫁给聂宇晟的。

聂宇晟一边开车，一边向方主任请教三十五床的病人的治疗方案，有两处他想不明白为什么，方主任在专业上一直非常严谨，很仔细地讲给他听。说到最后，方主任才说："下午骂你，是为了你好。"

"我知道。"

"国外的那些公司，哪有那么好心，拿出那么多钱来贴补病人，还不是想我们用他们的器材。"

"我明白。"

"你年纪轻，如果这个项目你力主赞成，将来出了任何问题，责任都是你的。医院里头人事关系复杂，我是不想你犯错误。"

这次聂宇晟停顿了片刻，才说："谢谢主任。"

"我在医院几十年了，教过无数学生，带出来一堆徒弟。如今年纪大了，胆子却越来越小了。"方主任有点唏嘘，"我也知道，有时候，明明是想救人，可是反倒会害了人。"

聂宇晟有点不安，他很少看到方主任的这一面，在科室里，尤其在专业问题上，他总是强悍甚至霸道的。年轻的医生都怕他，连院长都让着他三分。

等红灯的时候，方主任说："这样，你把那个公司的项目，做个风险评估。到时候，我交给业务副院长看看。"

聂宇晟非常意外，回过头来："主任……"

"其实你的话也有道理。"方主任似乎有一丝疲惫，"医者父母心，身为父母，哪怕有万分之一的希望，也肯定会去尝试。我们给病人机会，总比不给病人机会要好。"

下车的时候，方主任说："我两个儿子，都不肯学医。所以……"他拍了拍聂宇晟的肩膀，却没有再说什么。

虽然方主任同意考虑引进这个项目，聂宇晟却总觉得高兴不起来。对他而言，这个项目只是一个备选的方案。国内医疗保障并不完善，虽然国外的也好不到哪里去。不论在哪里，永远都有人看不起病，何况涉及到他们心胸外科的，一般都是复杂的大手术。那些医药费，足以拖垮一个不富裕的家庭。

成熟的手术方案永远是首选，而像这种新式的器材，在临床案例不多的情况下，自然是越少用越好。他埋头几天翻译资料，整理齐全了才交给方主任。资料交上去了，却又似乎有点后悔，只是欲语又止。

方主任倒似乎很了解他，说："放心吧，医院真要决定引进，肯定有整个专家组论证，不会轻率决定的。"

聂宇晟从主任的办公室出来，想了想去病房转一圈，这也是他的工作习惯。如果是上白班，除了早上查房之外，每天差不多固定的时候，他会去病房看看。早上查房的时候人多嘴杂，有些细节不见得能留意到。等大查房结束后再抽时间去病房，可以更仔细地跟病人交流。

今天他到病房的时间比较早，正好撞上探视时间。所以各个病房里头都比平时热闹，差不多都有访客。聂宇晟走到七号病房门口，突然听到有人叫自己名字，回头一看，原来是舒琴。

她手里捧着一束花，笑吟吟地看着他。

聂宇晟以为她是来探视病人的，于是说："你那位同事转到十六号病房去了，那里条件更好一点儿。"

因为刚开始为了住院，他曾经跟方主任撒谎说那病人是自己的亲戚，没想到方主任还真的特别关照，不仅打招呼让提前入院，而且等双人病房一空出来，立刻让人把那病人给转进去了。舒琴说："我知道，我去看过他了。"把手里的花递给他，"送你的，白衣天使。"

聂宇晟怔了一下，才接过去："谢谢。"

"谢谢你才是真的，听说你亲自主刀，手术结果让人非常满意。"

"心脏搭桥只是小手术，也没什么。"

舒琴笑出声来："好了，聂大医生，知道你技术精湛，心脏搭桥对你而言都只是个小手术。可是我是受人之托，我们副总的家人，还有我们董事长，一定要请你吃饭。"

"不用了。"聂宇晟说，"我完成我的工作而已，而且我们医院有规定，不准接受病人宴请。"

"他们之前还打算送你红包，被我给阻止了，我说千万别给，不然他会扔出来的。"舒琴扮个鬼脸，"我真是了解你，对吧？"

聂宇晟不由得淡淡地笑了笑，正巧有护士经过，看到他手捧鲜花站在那里正和一个年轻漂亮的女人说话，而且破天荒地看到聂医生的嘴角竟然有一抹浅浅的笑意，这简直是前所未有的事情。小护士几乎被吓了一跳，目不转睛，打量完他又打量舒琴。聂宇晟觉察他们俩站在走廊里很引人注目，于是说："我还在上班呢，没别的事，我就去病房了。"

"我也算病人家属吧？我了解了解我们副总的病情不行啊？"

"他术后恢复得很好，明后天就可以出院了。"

"无论如何，这个饭局你一定要去，救人一命胜造七级浮屠，你就当救我吧。"舒琴双掌合十，"拜托！拜托！"

"我已经救了你们副总，不用再救你了，你也没有心脏病。"聂宇晟丝毫不为之所动，"谢谢你的花，也替我谢谢你们副总的盛情，吃饭就免了。"

舒琴知道他不爱应酬，所以今天来也只是勉力一试，听见他说不去，亦是意料之中。她笑了笑，也不再多说。

聂宇晟拿着这束花，倒不知道该如何是好。走回办公室去，放在桌子上。坐在他对面的就是李医生，看他拿着花进来，打趣他："哟，暗恋者送的？"

全医院的小护士几乎都暗恋聂宇晟，以前还有人专门在食堂守候，就为了看聂宇晟一眼。聂宇晟每次在外头吃饭都是敷衍，医院食堂的大锅菜，当然更难对他的胃口。所以每次去食堂吃饭，都是匆匆忙忙拨拉完。那些小护士常常在食堂里头等一个小时，聂宇晟就出现十分钟，已经吃完走人了。

"不是，朋友送的。"聂宇晟把住院记录找出来，虽然现在已经电脑建档了，可是医院仍旧要求医生亲笔手写一份。每天写住院记录也是个体力活，尤其聂宇晟管的病人多，经常一写就是几个小时。

刚写了几行字，电话就响起来，他一看是舒琴，以为她忘了问自己什么事，于是就接了。

谁知道她只是问："没把我的花丢在垃圾桶吧？"

"当然没有，好好供在桌子上呢。"

"谅你也不会把我送的花丢垃圾桶，毕竟咱们是患难之交。"舒琴朗声笑着，"副总请你吃饭你不去，我请你吃饭你肯吗？"

"为什么？难道你又要相亲？"

"倒不是相亲，这次为了搞定住院的事，全公司上下都传说，我的男朋友在医院当医生，所以公司周年庆，一定要我携男友参加。"

"我欠你的人情好像已经还清了。"

"是，是。我不敢劳动大驾陪我去周年庆，可是一般周年庆吃完饭之后还要去唱K，我就想请你在我吃完饭之后，开车去接一下我。你知道我五音不全，就让我免于出丑，吃完饭有个理由走人好不好？"

"我也许那天上夜班。"

"聂医生，求你了！看在在美国的时候，我天天烧土豆牛肉给你吃的分上，搭救兄弟一把！"

"好吧，如果那天不上夜班，我可以去接你。"

"谢谢谢谢，聂医生你真是白衣天使！"

舒琴一边开车一边讲电话，听到聂宇晟答应，不由得松了口气。挂断电话取下蓝牙，开车直奔公司。刚刚走进电梯，忽然看到一个人，不由得笑容微敛，却点头打了个招呼："盛经理。"

盛方庭也点点头："舒经理，你好。"

盛方庭是空降到公司的，年纪不大，资历尚浅，但他所主管的企划部却是很重要的部门。他跟公司里的两派人马似乎都不太合得来，素来独来独往。正因为如此，两派反倒似乎都挺忌惮他，怕把他推到另一方的阵营里去了。

进办公室之后舒琴坐下来喝了杯水，助理抱着一堆资料进来给她，问："您和盛经理一起上来？"

"电梯里头遇上了。"舒琴头也没抬，"对了，盛方庭点名要求一个门店的值班经理调到总公司来当他的助理，我让你去打听打听是什么来头，打听清楚没有？"

"打听清楚了。"助理笑着说，"说起来可笑，据说是盛方庭去巡店，正好遇见这个值班经理跟顾客有争执，盛方庭就让他写了封解释信，结果那封信写得声情并茂，有理有据。最最重要的是，这是The letter of explanation，你知道下面那些值班经理的英文水平，恨不得二十六个字母都认不全。没想到这位值班经理竟然文理通顺，一个单词都没有拼错。据说当时区域督导都惊讶了，立刻把信转给盛方庭。盛方庭看完之后，就向我们要求，调用这个值班经理去当他的助理。"

盛方庭有海外留学的背景，所以一贯作风很洋派，上一个助理就是因为英文不好被他打发的。舒琴耸了耸肩，说道："这封信能让盛方庭点名要人，那么把这封信找来给我看看。"

"好的。"助理乖巧地说，"回头我就发到您邮箱。"

"原文就是电邮？"

"是的，是电邮。"

"是直接发给区域督导，并没有CC盛方庭？"

助理点点头。

舒琴说："这个人还真是……先把邮件给我看吧。"

助理回到自己的办公室，马上就把邮件抄送给舒琴，舒琴一目十行地看过，觉得这封信确实写得不错，逻辑上滴水不漏，情感上不卑不亢，作为一个值班经理而言，难能可贵，甚至比有些店长还要强。怪不得盛方庭一眼相中。

既然盛方庭执意要这么一个人，那么就让他称心如意吧。舒琴想，这都是小事，反倒可以让盛方庭觉得，欠自己一个人情。

【肆】

　　谈静是在上班的时候接到派出所电话的，本来店里的电话工作时间不借给私人用，但接电话的店员听对方说是派出所，要找谈静，不由得吓了一大跳，连忙叫谈静去接。

　　谈静也被吓了一跳，还没来得及多想，已经听见电话那头问："你是孙志军的妻子？"

　　"是的。"谈静有点慌神，"孙志军出事了吗？他怎么了？"

　　"他好得很，你来一趟派出所办手续吧！"

　　谈静更觉得心慌意乱，可是电话那头没容她多问，三下五除二告诉她姓名地址，就把电话给挂了。

谈静只得硬着头皮去跟值班经理请假，值班经理马上就要调到总公司去了，是区域督导亲自来店里宣布的，这算得上是一桩大喜事，因为能从值班经理岗位进入总公司管理层的，简直是少之又少，全国几大片区，基本上还不曾听说过这样破格提拔的事情，所以连店长都对他刮目相看。值班经理这几天心情着实不错，谈静慌慌张张向他请假，他也没多问就答应了。

谈静倒了三趟公交才到了派出所，正好到了下班时间，门卫不让她进去。她急得直央求："师傅，我是请假来的，换了三趟公交，明天还要上班，要是明天再来，我可能就请不到假了，您就让我进去吧。"

门卫看她额头上的刘海都全汗湿透了，粘在那里，两只眼睛望着自己，可怜巴巴的样子。他虽然见惯了各色人等，可是忍不住觉得这姑娘着实可怜，于是犹豫了一会儿说："那我给张警官打个电话，看他下班了没有，你是找张警官对吧？"

谈静连连点头，门卫打了个电话，简单地说了两句话，就对她说："快点做个登记！算你运气，张警官还没走。"就把登记簿拿出来给她。谈静千恩万谢，匆匆忙忙做了个登记，就按着门卫指引的方向，径直去找张警官的办公室。

谈静第一次到派出所，心里七上八下的，上楼找到了办公室，站在门口，看偌大一个办公室里头，有好几个警察模样的人，壮着胆子说："请问，哪位是张警官？"

"张明恒，找你的！"有位警察叫了一声，张警官答应着转过身来，打量了她一眼，问："你是孙志军的妻子？"

谈静点点头，张警官说："孙志军跟人打架闹事，把人家的鼻梁打折了，现在人家报案，等验伤结果出来，按着治安处罚条例，可能要拘留十五天左右。"

谈静脑子里"嗡"地一响，只觉得眼前白花花的一片，身子一软几乎要晕过去，扶着墙勉强站好，说："他怎么会跟人打架……"

"你问我，我问谁啊？"张警官说，"据说伤者还是他同事呢，怎么一个大男人，就知道挥拳头打人？"说着往角落里一指，谈静这才看到孙志军原来被铐在椅子上，低着脑袋也不说话，更不抬头。身上还穿着工作服，只是工作服上头有斑斑点点的血迹，也不知道是他身上伤到什么地方，还是被打的那个人的血。

谈静心里又急又怒，只觉得手足无措。张警官说："问他家里联络方式什么的，还什么都不肯说，最后还是在他们公司人力资源部查到你的电话，对方的医药费什么的，你看看怎么办吧。"

谈静脸色苍白，小声问："要多少医药费？"

"我怎么知道要多少医药费？"张警官又好气又好笑似的，说，"那个被打伤的冯竞辉还在医院呢……算了算了，好人做到底，我给你指条路。你去医院找那个冯竞辉，把医药费什么的赔给人家，要是他不追究的话，你老公也不用拘留了。"

谈静这才明白过来，本来她并不笨，只是事发突然，人都懵了。听到张警官一番话，知道他是好心指点自己，连忙连声道谢。孙志军从谈静进门之后，就连头也不曾抬过，这时候却硬邦邦扔出一句话："我没钱赔。"

张警官不怒反笑，说："真能耐啊，打了人还没钱赔。没钱赔你怎么还打人呢？"谈静一阵心酸，也顾不上多说，只拉着张警官："您别和他一般见识，我去医院。"

张警官看她眼圈都红了，再看看孙志军这模样，对这两口子的情形也明白了不少。他在派出所工作，见过这类夫妻太多了，通常男的在外头惹是生非，最后还得一个弱质女流出来善后。他心生同情，于是把医院的地址告诉谈静，又说："照我说，你不理这事，关他十天半月也好，什么德性。"

谈静忍气吞声向张警官道谢，就赶到医院去。

虽然太阳已经下山，可是城市仍旧燠热难耐，谈静虽然着急，但赶到医院之后想了想，跑到对街买了一篮水果，医院附近的果篮当然很贵，可是也顾不得了。医院的急诊大楼有中央空调，只是人多，汗味药水味混合着医院特有的消毒水的味道，更让人觉得难受。医院太大，谈静问了导医台才找着外科观察室。正巧冯竞辉的妻子来医院送饭，两个人坐在病床上正吃饭。

谈静走过去怯怯地说明了自己的身份和来意，冯竞辉倒也还罢了，冯竞辉的妻子一听她是孙志军的家属，把筷子一扔，就跳起来大骂："你老公神经病啊，无缘无故地挥拳头打人，把我老公鼻梁都打断了！我告诉你，派出所说了，可以去法院告他故意伤害！这次我跟你们没完！我老公好端端的一个人，被你们打成这样，得住半个月医院，你们等着吃官司吧！"

谈静只能赔着笑脸，把身上所有钱都掏出来了，说："我是来交医药费的，不好意思让您先垫付了押金，我也不知道医院要交多少钱，今天出来得太匆忙，存折没带在身上，这些钱您先拿着，我知道不够，明天我去银行取钱，再给您送来。"

"谁要你的臭钱！"冯竞辉的妻子把她使劲一推，拿起她搁在旁边的水果篮，就往她手里一塞，硬把她推出了门。观察室里有十几张病床，正是吃晚饭的时候，病人、病人家属都盯着这场闹剧，谈静又窘又急，她本来就不善于求人，拿着那篮水果，只是进退两难。

冯竞辉的妻子也不理她，自顾自坐下来吃饭，倒是冯竞辉抬头看了她几眼，冯竞辉的妻子更加生气，怒道："看什么看？看人家长得漂亮就心软？怪不得人家老公把你鼻梁都打断了，癞蛤蟆想吃天鹅肉！"

这么一骂，病房里的人更忍不住张望，谈静还从来没有经历过这样的场面，脸涨得通红，难堪得站不住，拿着那篮水果摇摇晃晃地走了。

她本来上来的时候是坐的电梯，从观察室出来应该沿着走廊朝左拐，可是她满腔的心事，既着急冯家人不肯和解，又着急明天还不知道自己攒的那点钱够不够交医药费，只觉得一颗心就像是在油锅里煎。恍恍惚惚只是沿着走廊往前走。大医院里几幢楼连在一起，都像迷宫一样，转了一个弯没看到电梯，才知道自己是走错了。如果要往回走，还得经过观察室。她实在没有勇气再让冯家人看见自己，看到安全通道的标记，就朝着安全通道走去。

她走到安全通道那里，才发现这里有另一部电梯。她不知道沿着走廊走了多远，只觉得四处空荡荡的，只有白炽灯亮晃晃的，映着水磨石的地面。这边不像其他地方人多得闹哄哄。这样也好，她一边抬手拭了拭额头上的汗，一边按了电梯按钮。她原本打算从安全通道走下去的，可是从下午奔走到现在，晚饭也没吃，嘴里发苦，腿也发软，实在是挪不动步子，连那篮水果也沉甸甸的，勒得她手指头难受。她只好把水果篮抱在自己胸前，对自己说，不能哭，事情总会过去的，只要忍一忍就好了，明天肯定能想出办法来的。

每次当她濒临绝境的时候，她就会这样安慰自己。再坏再苦的事情都已经熬过来了，还有什么熬不下去的？

电梯"叮"一声响，双门徐徐滑开，她抱着那篮水果，怔怔地看着电梯里的人。

纵然再坏再苦的事情她都已经熬过来了，纵然她总是以为自己忍一忍就会过去，纵然她把虚弱的壳重新伪装起来，纵然她自己并不坚强可是她总得坚强地面对一切。

只是，她不能面对聂宇晟。

他就站在电梯中央，似乎也没想到竟然会遇见她。只是几乎一秒钟，他就恢复了那种冷漠，医生袍穿在他身上，就如同最精制的铠甲一般，他全身散发着一种寒气，目光敏锐得像刀锋一般，他整个人都像一把刀，几乎可以随时将她洞穿将她解剖，令她无所遁形。

他站在电梯中，就像看一个陌生人一般看着她，于今，她对于他而言，确实是一个陌路人吧。在她听到医院名称的时候，她就应该想到，可能会遇见聂宇晟。可是这么大的医院，成千上万的病人，她总归是抱着一丝侥幸。何况他在心胸外科，他根本就不太可能出现在急诊。

她的运气，永远都是这么坏。

狭路相逢，冤家路窄。而她在最无助最狼狈的时候，总是遇见他。

最后分别的时候，他说过："谈静你以为这算完了吗？"

他说得对，命运从来不曾悲悯，她根本就无法挣脱无法逃走，她做错了事，这就是报应。

聂宇晟的皮鞋已经走过了她身旁，他根本看都没再看她一眼，径直朝前走去。她抓着电梯门，腿一软，潮水般的黑暗无声地袭来，温柔地将她包容进去。

　　谈静觉得自己像是在做噩梦，又像是回到生孩子的那一天。医生护士都围在她身边，只听到医生说："快，大出血，快去领血浆！"助产士的声音像是忽远忽近，孩子的哭声也忽远忽近，而自己全身冰凉，像是落入冰窖里头，连举起一根手指的力气都没有，意识渐渐模糊，身边的人嘈杂的说话声听不见了，孩子的哭声也听不见了，那时候她曾经无限接近死亡，可是潜意识里，她知道自己不能死。

　　若是自己死了，孩子就没有妈妈了。所以她一定得活下去，为了孩子，她得活下去。

　　意识渐渐地恢复，婴儿的哭声却再也听不见了，她喃喃地问："孩子在哪儿？"

　　她其实记得助产士告诉过她，孩子送到暖箱里去了，她疲倦得想要睡觉，可是挣扎着不肯睡去，她喃喃地又问了一遍："孩子在哪儿？"

　　没有人理会她，护士急匆匆走开去，在模糊的光晕里，她看见了聂宇晟，她知道自己是糊涂了，不然不会看见聂宇晟。在生死大难，最最濒临死神的那一刹那，她几乎就看到了他，她想果然是快死了，有人曾经对她说过，人在临终前看见的人，才是自己在人世间最放不下的那个人。她一直以为自己会看见妈妈，可是妈妈已经在天堂等她，她可以和妈妈团聚，所以她才会看到聂宇晟吗？

　　聂宇晟的脸庞渐渐清晰，四周的一切渐渐清晰，意识一点点恢复，她并不是躺在产房里，虽然这里也是医院，但一切都清楚得并不是梦境。

　　聂宇晟旁边站着的是个女医生，慢条斯理地说："好了，醒过来了就好。中暑再加上低血糖，没吃晚饭吧？今天幸好是晕在我们医院里，也幸好旁边有人，你正好倒在电梯门那儿，再晚一点儿，电梯门就要夹住你脖子了，那就危险了。"

谈静这才明白过来，自己并不是做噩梦，而是晕在了电梯旁边。

女医生问："家里电话多少？通知一个人来照顾一下你，刚给你输了葡萄糖，得观察两小时再走。有医保吗？叫你家里人来了之后去交一下费用。"

"不，不用了，我自己去交钱。"谈静有点急切的窘迫，她的嗓子还是哑的，舌头发苦发涩。孙志军还关在派出所里，也没有人来替她交钱。聂宇晟站在那里，脸色冷漠。或许真的是他通知了医生，把她送到急救室，但此刻她只想离他越远越好。她已经不对聂宇晟抱有任何幻想，她都没奢望过是他把自己救起来。可能聂宇晟是被他那所谓的修养和医生的道德给拘住了，就算是看到陌生人晕在那里，他也不能见死不救的吧。

"那好，我叫护士过来。"那女医生朝聂宇晟点了点头，"聂医生，这人没事了。"又告诉谈静，"这是我们医院的聂医生，就是他救了你，你好好谢谢人家吧。"

"谢谢。"她声音低得几乎连自己都听不见，聂宇晟根本都没有看她，神色仍旧冷淡，也并没有搭理她，只是对那位女医生说："我上去手术室。"

谈静身上只带了两百多块钱，护士拿了医药费的划价单来给她，除了吊葡萄糖，还另外做了常规的血检等等，一共要三百多块钱。店里虽然替员工都办了基本医疗，可是她也没把医保卡带在身上。谈静没有办法，找旁边的病人借了手机打给王雨玲，谁知道王雨玲的手机竟然关机。她失魂落魄地想了又想，竟然找不到一个人，可以借钱给自己。

药水已经吊完了，护士来拔针，催着她去付款，她咬了咬牙，终于问："请问，聂医生的电话是多少？"

护士知道她是被聂医生送到急诊来的，当时聂宇晟抱着她冲进急诊室，整个脸都是煞白煞白的，倒把急救中心的人都吓了一大跳，还以为这病人是聂宇晟的亲戚甚至女朋友。负责急救的霍医生量血压心跳的时候，聂宇晟就跟个木头桩子似的站在那里，两只手都攥成了拳头。急救中心的值班副主任看到这情形，还亲自过来询问情况。护士们心里都犯嘀咕，心想一向稳重的聂医生果然是关心则乱，莫非这女病人真是他的女朋友？可是看着实在不像啊。护士们对这位陌生女病人自然充满了好奇心，谁知道检查完并无大碍，往病历上填名字的时候，聂宇晟竟然说不认识，看她倒在电梯旁所以救回来。不认识所以不知道名字，既往病史不明，年龄不详。

这种情况太常见了，偌大的医院，经常有病人晕倒在大门口甚至走廊里头，对他们急救中心而言，委实见怪不怪。聂医生说不认识的时候口气冷淡一如往常，霍医生看了看病人的穿着打扮，心想这跟家境优越的聂医生完全是两个世界的人，他说不认识，自然是真的不认识。

护士听到谈静问聂医生电话，于是撇了撇嘴，说："不用了，聂医生做手术去了，今天他有急诊手术。算你运气好，正好遇见聂医生搭电梯去急诊手术室。你刚才不是已经当面道谢了吗，还找他干吗？"

谈静没有办法，只好讷讷地说："我……我……没带够钱。"

护士说："那打电话叫你家里人送来呀！"

"家里没有人。"

"那就打电话给亲戚朋友。"护士目光严厉起来，"一共才三百多块钱，你就没有？"

谈静把一句话咽下去，低声说："我只带了两百多……"

护士似乎见惯了这种情形，说："那可不行，找个人给你送钱来吧。"

谈静垂着头好一会儿，才抬起头来："能把您的电话借我用一下吗？"

护士愣了一下，掏出手机给她，嘀咕："这年头竟然还有人没有手机。"旁边有人叫护士拔针，护士就走过去替人拔针了。

谈静已经顾不上护士的冷嘲热讽，等护士一走开，她就一个按键一个按键拨着号码，还是136的号段，很早很早之前，聂宇晟是用这个号码。后来他出国去了，这个号早就已经停掉了吧。

她其实是抱了万一的希望，在痴心妄想罢了。

电话里传来有规律的嘟音，她不知道这代表什么，或许会听到"您所拨打的号码是空号"，可是仿佛只是一秒钟，也仿佛是一个世纪那样漫长，熟悉而陌生的声音，通过电话清晰明朗地传入耳中。

他接电话总是习惯性地报上自己的名字："你好，聂宇晟。"

她忽然哽咽，说不出任何话来。一个早就应该废弃的号码，一个她早就应该忘记的电话，隔了七年，就像隔着整整一个时空，穿越往事的千山万水，遥远得像是另一个世界的回声。

她把所有的伪装都遗忘殆尽，哪怕明明知道他保留这个号码，必定不是为了她。彼此的爱意早就被仇恨侵蚀得千疮百孔，只是在这样难堪这样窘迫这样无助的夜晚，她竟然还奢望想起逝去的好年华。

所有美好的一切，都是被她自己，一点点撕成碎片。

她轻轻吸了口气，让自己听上去更柔和婉转一些，这句话再难开口，她也决定说了。

还有什么可留恋，还有什么可眷恋，不过是再踏上一脚，再捅上一刀。

她问："你能借我一点钱吗？"

换作七年前，她宁可去死，也不会对聂宇晟说出这样的话来。可是七年后，死已经无所谓了，只是活着的种种艰辛苦楚，早就逼得她不得不放弃自尊。自尊是什么？能当饭吃吗？能看病吗？能让平平上幼儿园吗？

连她自己都诧异，自己可以流利地，清楚地，几乎是无耻甚至无畏地，对着聂宇晟说出这么一句话。

她几乎已经想到，他会毫不犹豫挂断她的电话。

果然，几乎是下一秒，他已经挂掉了电话。

她再次打过去，嘟音响了很久，她的手一直抖，就像管不住自己一样。她倒宁可他关机，可是他并没有，大约半分钟之后，他还是接了。

她不待他说话，就抢着说："你写给我的信还有照片，我想你愿意拿回去。"

他在电话里头沉默良久，一字一句地问："你要多少钱？"

"五万。"她说，"我把所有东西都还给你，而且再也不对任何人提起我们的关系。"

他在电话那头笑了："你以为你值五万？谈静，你真的看得起你自己。"

"不是我值五万，是聂宇晟的过去值五万。"她反倒镇定下来，再坏又能坏到哪里去，"你一定不想再与我有任何关系，所以我把所有的一切还给你。从此之后，我们再无瓜葛。"

"你为什么不干脆找我要十万块钱！正好给你儿子动手术！"他声音中透着难以言喻的憎恶和戾气，"还是你觉得聂宇晟的过去，根本就不值十万？！"

"你愿意给十万就给十万吧。"她索性豁出去了，"我没钱付急救费用，你下来替我付款。"

"好，你等着。"

三十层的走廊望出去，万家灯火，整个城市一片灯海。聂宇晟抬起头来，突然狠狠将手机掼出去。

手机撞在墙上，"啪"一声又掉落在地上，零件碎了一地。他心中只有一团熊熊的火焰，反复炙烤，将他整个人都烤得血脉喷张。

他从急救中心出来，已经无法控制自己的情绪。他知道自己这样子没办法上手术台，所以打电话请值班的同事过来做这台手术。他自己返回住院部去替同事值夜班。谈静的出现完全打乱了一切，尤其当他看着她倒向电梯的时候，他的第一反应竟然是惊恐。很多次他都反复对自己说，年少时候的迷恋是幼稚天真，而且为之付出了惨痛的代价。对于一个心肠恶毒的女人，对于一段不得善终的初恋，就此忘了吧。

他花了好几年的时光，逼着自己去慢慢适应，适应没有谈静的生活。他一度都以为成功了。可是当谈静倒下去的时候，他才明白，所有的一切努力不过是徒劳的挣扎，自己的一切仍旧掌握在这个女人手中，喜怒哀乐，所有的所有，仍旧系于她。他把她抱起来，就像从前无数次做过的那样，只是她不再是他的谈静，她脸色苍白得异常，眼角有隐隐的泪痕，她竟然哭过。在那一刹那，他慌乱无助就像是七年之前，他没有办法想像她离开自己，不管这种离开，是精神上，还是肉体上。他一度恨她入骨，甚至恨到觉得她死了才好。但当她在他面前倒下去的时候，他却惊慌万分，如果她死了，如果她不存在于这个世界上，他几乎没有办法想像自己应该怎么样独自活着。从前的那些恨，也不过是因为知道她仍旧在这个世间，哪怕隔着千里万里的遥远距离，哪怕她早已经消失在茫茫人海，可是她毕竟跟自己在同一个时空，哪怕她早就成为一个陌生人。可是她仍旧在这个世间，他所有的恨到了最后，终于绝望般明白，原来他只是恨，她再不可能在自己身边。

谈静，谈静。

他把她抱起来，拍着她的脸，喃喃唤着她的名字，他甚至想要俯身低头，吻一吻她。她就像是传说中的睡美人，如果他吻一吻，她会不会就此醒过来？他心乱得像走失的孩子，只是捧着这世上最珍视的宝，手足无措。如果她醒不过来怎么办？

他没有办法想像，失却她之后，相思成了一种毒，慢慢地蚀入五脏六腑，七年苦苦压抑，却原来，已经病入膏肓。在那样一刹那，他只希望用所有的一切，去换取她慢慢睁开双眼。

他抱着她冲进急救中心的时候，手都还在发抖。她软软的发丝拂在他脸上，他慌乱地数着脉搏，本来是做得再熟练不过的动作，可是总是一次次被自己打断，每每数到十几次，就永远慌乱地数错了，记不得自己数到了多少，只得重新开始。等急救中心的同事围过来，他才被动地站住不动。

他知道自己无法控制情绪，所以从观察室出来之后，连安排好的手术都找了个借口，临时让给同事去做。他冷汗涔涔地坐在值班室里，直到电话响起来。

聂宇晟你还不如死掉。

他冷漠地听着电话里她的声音，她提出的要求。她根本不是要求而是勒索。

是的，聂宇晟的过去，当然值五万，也值十万。

他只是没想到她竟然做得出来，她竟然开得了这个口。

不过这样也好，他看着玻璃里的反光，自己的嘴角竟然是带着一抹讥讽似的笑意。这个女人本来就是这种人，七年前不是已经知道了吗？她没有底线就让她没有底线好了，反正哪怕是勒索，她也只能勒索自己这最后一次。

聂宇晟你可以彻彻底底地，死心了。

他蹲下来，在一地的碎片里头，找到那张SIM卡。明天，他就去换个新手机。

他把SIM卡随手装进名片夹里，然后走回值班室，打开自己办公桌的抽屉，拿出钱包，抽出几张粉红色的钞票，然后搭电梯下楼。

谈静坐在走廊的长椅上，直到聂宇晟把那张收费单据递给她，她才抬头看了他一眼。

他的脸上仍旧没有任何表情，如果说之前他的目光还偶尔流露出憎恨，现在，他连憎恨都懒得再给她了。这个男人跟自己的一切都已经完了，她毁得十分彻底，七年前一次，今天再一次。

连仇人都没得做，她垂下眼帘，这样也好。

她并没有道谢，接过收款单，然后进屋去交给护士，就转身走人。没想到聂宇晟在走廊尽头等她，他似乎算准了她不会再进电梯，而是会走安全通道。

他说："时间，地点。"

她愣了一下，才明白他是问给钱的时间和地点。她说："我急着用钱，明天上午十点，就在医院对面的那个咖啡厅。"

他面无表情地看了她一眼，转身走了。

谈静是走回去的，本来搭公交搭了几站路，后来公交到了，她本来应该换乘，可是不知道为什么，沿着公交站，就朝前走了。一直走到了家，才发现自己走了好几站路。

她背的包包带子已经被她的手心攥得潮乎乎的，家里没有开灯，黑黢黢的，不过这样也好。她坐在破旧的沙发里，不愿意站起来。还是保持着刚刚回家的那个姿势，攥着背包的带子，坐在那里一动不动。

她应该把东西收拾一下，她答应给他的那些东西。

其实也没什么，就是一些他写的信，他送她的一些零碎玩意儿，还有他们俩的合影。

她知道自己不要脸到了极点，可是她实在是太累了，生活将她逼得太苦太苦，就像一条绳索勒在她的脖子上，让她透不过气来。当快要窒息快要没顶的时候，她抓住任何东西，都想透一口气。哪怕这口气是如此地怨毒如此地不应该。

她凭什么向聂宇晟要钱？可是他果然答应给，因为她算准了以他的性格和自尊，他会用钱打发她，因为这样的话，从此他连恨都不会再恨她了。

谈静，谈静，她轻轻地，无声地叫着自己的名字。你这么做，是为什么呢？是怕自己仍旧抱着痴心妄想吗？是怕自己会忍不住再次陷入那样温柔可怕的陷阱吗？是怕自己会在真正绝望的时候，忍不住会伸出手去妄想抓住他吗？

不用再做梦了，这样也好。

她把自己蜷缩起来，在沙发上，蜷成小小的孩子的样子，就像回到母亲的怀抱。这七年来，她无时无刻不是处于一种精疲力竭的状态，生活的重担让她不堪重负，很多次她觉得自己再也撑不下去了，可是为了孩子，她一直咬牙坚忍着。

她对自己太苛刻了，其实她也知道，所以今天在空无一人的时候，在孩子和孙志军都不在她身边的时候，她终于让自己虚弱又脆弱地蜷缩起来。这世界上并没有童话，没有王子会骑着白马来救她，这世界上什么都没有，只有她自己，她会让自己可怜自己一小会儿，可是也仅止于这一会儿了。明天她要去拿钱，明天她要上班，明天她要想办法把孙志军从派出所赎出来，明天她还要给平平治病。

她就那样蜷在破旧的沙发里，慢慢地睡着了。

所有夜班的医生早上必须要查房，查完房办好交接，就可以回去睡觉了。聂宇晟并没有回家，他直接去了银行，再返回医院对面的咖啡店。

谈静比他到得早，她眼睛里都是细细的血丝，在夏日清澈的阳光中，更显得容颜憔悴。她的眼角已经有了细纹，乍一看，比她实际的年龄要大上好几岁的样子。

聂宇晟的目光她并没有闪避，他很仔细地打量她，似乎从来就不认识她一样。或许，他是真的不应该认识她。最后，他掏出一个厚厚的牛皮纸袋，说："钱在这里，一共两万九千六百四十一。我只给三万，扣掉昨天替你付的医药费，就只这么多。"

谈静并不搭腔，她把一只盒子交给他。

聂宇晟打开，仔细地翻看了一番，自己所有的信件，还有送她的一些零碎东西，都在里面。不过合影的相框明显摔过，镜片已经没有了，相框边缘也裂了一道缝隙。

"胸针呢？"他抬起头来问她。

"我卖了。"她坦然地说，"那个胸针镶有钻石，值几千块钱，所以我卖了，钱也已经花了。"

他点了点头，说："很好。"

也不知道是说她卖得好，还是说她这样解释得很好。

她没有争辩，只是伸出手，想接过他手里的那个装钱的纸袋。

"不点一点？"他嘴角上翘，又露出那抹似笑非笑的笑意，"也不嫌少？昨天你可是跟我开口要五万。"

"你不愿意给就算了。"谈静抓着包带站起来。聂宇晟却叫住她："等一等。"

她以为他还有什么话要说，谁知道他手一扬，袋子里的钱就像一场雨，纷纷扬扬地落在地上。隔着漫天飞舞的纸币，她的视线一片模糊。他就站在她的对面，就像当年，他踏着落花向她走过来，可是如今他们何止隔着整个世界。她再也没有力气，对他伸出手去。

他甚至对她笑了笑："你慢慢捡，别少捡一张！"

整个咖啡店的人都错愕地看着他们，看着那一地的钞票。谈静眼睛里泪光盈盈，可是勉强忍住眼泪不流出来，她一声也不吭，马上蹲下去捡那些钱。

聂宇晟转身就走了。

周围的人都看着那一地的钱，谈静头也没抬，只顾着一张张把钞票捡起来塞进包里，捡了一张又一张，纸币四散一地，就像焚毁一切后的余烬。谈静的手在慢慢发抖，可是她捡得飞快。

即使聂宇晟把钱砸到她的脸上，她还是会这样一张张捡起来吧？幸好他还被所谓的风度给拘住了，再怎么样他也没办法对一个女人做出那样的事情。把钱扔在地上，大约已经是他的极限，他能想到表示轻蔑和侮辱的极限。她脑子里一片空白，只是木然地，迅速地，将那些钱捡起来，塞到自己的包里去。还好最后清点，并没有少一张。两万九千六百四十一，当她在桌子底下找到那枚亮闪闪的一元硬币时，不由得松了口气。等直起腰来，才发现整个咖啡店的人都用异样的眼光看着她，连侍者也小心翼翼地绕开她，一个蹲在地上捡钱的女人，在旁人眼里肯定是无耻到了极点，鄙夷到了极点，她其实也非常非常鄙夷自己，可是现在也顾不上了。

她从咖啡店出来，径直去医院，先找到冯竞辉的主治医生，拿了一万块钱交了住院押金，然后又去病房找冯竞辉。今天冯竞辉的妻子上班去了，冯竞辉一个人坐在病床上看报纸。谈静跟主治医生谈过，知道鼻梁骨折可以住院也可以不住院，但冯竞辉家属坚持要住院。谈静知道冯竞辉的妻子心中有气，所以坚持住院好多算些医疗费，毕竟是孙志军把人家打成这样，人在屋檐下，不能不低头。

冯竞辉一看到她，还有点不好意思似的，连忙把报纸收起来。谈静于是把住院押金的单子给了冯竞辉，说："您就安心在这里治着，要是钱不够了就打电话，我再送来。都是孙志军不好，把您打成这样，这里还有一千块钱，您交给您太太，让她给您炖点骨头汤什么的，听说骨折得补钙。本来我该买点水果来，但又不知道有什么忌口，就没买。"

冯竞辉看她又交押金，又拿现金来，说话斯斯文文，对着这么一个女人，自己也板不起脸孔说难听的话，只说："其实我跟志军也是开玩笑，没想到他就生气了。他那个人，脾气太坏了，怎么能打人呢？"

谈静苦笑了一下，说："都是孙志军不好，害得您受累了。我替他向您道歉，你别生气了。他现在还关在派出所呢，我下午还要上班，我把我店里的电话写给您，您要是有事，或者医药费不够了，直接打电话找我就成了。"

冯竞辉本来还有点怨气，看着谈静软言软语，心想她一个女人也挺可怜的，而且孙志军又被关在派出所里，她虽然一句也不提，但是态度还是很好，心里的气不知不觉就消了。冯竞辉说："我懂你的意思，就是想让我不告孙志军。其实我跟他是同事，平常关系也不错，谁知道他会动手打人，还把我打成这样。"

谈静没有办法，只得连连道歉，病房里其他病人看着她一个女人，楚楚可怜的样子，七嘴八舌都替她说话。有人说："打人是不对，人家也被关起来了，人家老婆来赔礼道歉又送钱来，就算了吧。"

"就是，看这老婆的态度还是挺好的，就不知道老公为什么蛮不讲理打人。"

谈静生平最不愿意被人这样说三道四，可是眼下的情形，再窘迫也得一力承担下来。只说："我得上班去了，电话我写在这儿，您有事就直接找我吧。"

冯竞辉说："你也是个明白人，我知道你的意思，想我不告孙志军。这事我得跟我老婆商量一下。"

谈静听他这样说，连声道谢。反倒是冯竞辉说："你一个女人也不容易，快上班去吧。"

谈静心里七上八下的，坐在公交车上还在想，不知道冯竞辉究竟会不会告孙志军。因为冯竞辉似乎还挺愿意简单地了结此事，可是冯竞辉的老婆，似乎不愿意善罢甘休。可是不管如何，这件事情自己已经尽力了，甚至还做了自己最不愿意做的事情——向聂宇晟要钱。

她下意识捏了捏包，包里还有一万多块钱，她知道自己把心中那一点点余烬也吹得灰飞烟灭，不过这样很好。她疲惫地将头靠在公交车的车窗上，夏日炽烈的阳光透过淡蓝色的窗帘晒进来，晒得人皮肤隐隐灼痛。

没有什么可留恋的，再也没有了。

【伍】

换了几趟公交才到店里，一路上紧赶慢赶，可是仍旧迟到了。一进店门谈静就看到王雨玲朝她使眼色，她还没有明白过来，值班经理已经看到她了，板着脸说："谈静，你怎么又迟到了？"

谈静有点懵，可是迟到确实不应该，于是她低着头说："对不起。"

"说对不起就可以违反制度吗？"值班经理一脸冰霜，"这个月你已经迟到三次了，按规定扣所有的奖金。"

谈静错愕了一下，值班经理又说："昨天你请了一天事假，公司规定要扣除当天的工资，还有，明天你上连班。"

谈静被这一连串的事情弄得有点懵，值班经理平常对她还算不错，因为她做事挺勤快，从来不想着偷懒。昨天她向值班经理请假的时候，值班经理也还挺客气的。怎么突然一下子态度就有了这样的转变？

值班经理看她愣在那里，似乎更没好气了："还不换衣服去工作！"

她匆匆忙忙去了更衣室，换了工作服出来。上午班的收银员跟她交接完了，她打开收银机开始收银。

这份工作枯燥而无趣，她已经做了六年了。从一家店换到另一家店，许多相熟的同事已经跳槽，或者结婚。就是她和王雨玲，还仍旧打着这份工。不管怎么样，这份工作不用日晒雨淋，虽然好几个小时站下来，常常站得脚肿，可是每个月的收入很稳定。

她没有大学文凭，能找到的工作也只有这类的，钱虽然永远也攒不下来，可是总比没饭吃要好，所以她很珍惜这工作。值班经理不知道为什么，整个下午都板着脸，而且一直站在收银台旁边，连王雨玲都不敢偷空来跟她说话。

晚上下班之后在更衣室里换回自己的衣服，王雨玲才问她："你眼睛怎么了？昨天没睡好？还有，你昨天请假干什么去了？派出所找你干吗？"

谈静知道王雨玲是个暴炭脾气，听说了孙志军的事，一定又要劝她离婚。所以她掩饰地说："没什么。"

"出什么事你还要瞒着我啊？"王雨玲有点生气，"你还是不是我朋友？"

谈静岔开话题，她从医院回店里的路上，担心带着现金不安全，就中途去了趟银行，把钱存起来了。也正因为这个原因，所以最后才迟到了。她把存折给王雨玲，说："这个还是暂时放在你那里。"

王雨玲看是活期存折，再一打开看到数字，吓了一跳，问："你怎么突然存这么多钱？哪里来的？"

谈静并不吭声，王雨玲知道她的脾气，摇了摇头，把存折收起来，说："要不是我认识你这么多年了，一定以为你昨天是去做贼了。工资都没发，你存一万多块钱的活期……这是给平平攒的手术费吧？"

"这是我向别人借的钱，也许没两天就得用掉了。"谈静皱起眉头的时候，眉心已经有了淡淡的皱纹，"平平的手术费还差得远……"她叹了口气，再不说话。

王雨玲知道只要一提到孙平的病，谈静就会心事重重。她也没办法劝慰，更没有办法帮到谈静，只能拍了拍她的背："走吧，我和梁元安说好了，一块儿请你吃晚饭，咱们先去接平平。"

谈静午饭都没吃，听到王雨玲一说，才觉得饿了。她不好意思总占这位朋友的便宜，于是说："一起吃饭可以，我们还是各付各的吧。不过为什么你要和梁元安一起请客？难道……"她说到这里，终于才笑了笑。

王雨玲又拍了一下她的背，说："讨厌！今天我无论如何得请你吃饭，你一定忘了今天是什么日子。"

谈静愣了一下，仔细想了想，仍旧没有想到。倒是王雨玲自己忍不住，说："今天是你生日啊！生日都忘了！你看看你，成天在忙乎什么？"

谈静倒没有想到这天是自己生日，她也确实忙得忘记了。这两天去派出所去医院还又见到聂宇晟，她觉得生活就像一条激流，每次一个浪头打来，就是灭顶之灾。她苦苦挣扎，只求随波逐流，根本都没有多余的力气注意到其他事物。

"生日快乐！"王雨玲笑着说，"所以今天请你吃饭。走吧！快去接平平！"

吃饭的地方就在他们常常去的小馆子，三个大人一个孩子，点了四个菜一个汤，小馆子分量足，谈静午饭没有吃，这时候早就饿过了劲，只用汤把饭泡了，哄着孙平吃。孙平很懂事，自己拿勺子一口口都吃完了，只是满脸都是饭粒，逗得王雨玲笑不停。拿了餐巾纸擦掉孙平脸上的饭，说："小帅哥越来越帅了，长大了娶王阿姨好不好？"

孙平乌溜溜的大眼睛看了看她，然后摇了摇头："我长大了不娶你。"

"那你娶谁呀？"

"我娶妈妈，妈妈最辛苦，我娶了妈妈，就不让她上班了，然后我天天做饭给她吃。"

稚气的话逗得三个大人都笑得前俯后仰，王雨玲一本正经地说："那可不行，你妈妈已经嫁给你爸爸了，你只能娶别人。怎么样，还是娶王阿姨吧，到时候王阿姨也不让你妈妈上班，也天天做饭给她吃。"

孙平皱着小脸想了半天，说："我还是娶妈妈，妈妈最辛苦，而且妈妈最漂亮。"

这下子连梁元安都忍不住喷饭了，捏了捏孙平的小脸蛋，说："这么一丁点儿，就知道漂亮不漂亮。"

"王阿姨太伤心了。"王雨玲拿手遮着眼睛，"平平说王阿姨不漂亮，王阿姨嫁不出去了……"

"王阿姨你也漂亮！"孙平极力安慰着她，"肯定会有漂亮叔叔来娶你的！"他看了看梁元安，说，"梁叔叔，你可以娶王阿姨！"

梁元安被啤酒呛着了，又咳又笑又喘，王雨玲倒老大不好意思，说："小鬼头！人小鬼大！"倒是谈静，抿嘴笑着给梁元安倒了杯茶，梁元安好容易止住咳嗽，说："那好吧！今天你妈妈生日，我们要送一份神秘的礼物！"

孙平乌溜溜的眼睛看着他。

"当当当当！"梁元安从桌子底下拿出一个黑色的袋子，搁在桌子上然后打开，露出里面的蛋糕盒，再打开蛋糕盒，里面竟然是一个裱花精致的蛋糕。

"哇！"孙平毕竟是小孩子脾气，忍不住叫起来："好大的生日蛋糕！"

"是啊，好大的生日蛋糕！"梁元安笑嘻嘻地说，"梁叔叔亲手做的！来，我们先点蜡烛许愿！然后再来尝尝这蛋糕好不好吃！"

谈静本来是收银员，不由得看了王雨玲一眼，又看了梁元安一眼。下午的时候她并没有收这个蛋糕的钱，虽然他们买蛋糕是有员工折扣价的，但这么大的蛋糕，价格不菲。

或许是他们昨天买的？

王雨玲已经在往蛋糕上插蜡烛了，梁元安抱着孙平，告诉他："这个蜡烛很神奇，因为这个蜡烛会唱歌！来，我们点上，听它唱生日歌！"孙平当然是兴高采烈，再加上从来没有看过音乐蜡烛，所以当蜡烛一边唱着生日歌一边打开成一朵花的时候，孙平高兴得直拍巴掌："妈妈！妈妈快许愿！"

王雨玲也拉着谈静许愿，谈静笑着双掌合十闭上眼睛。还有什么愿望呢？只希望孙平的病早点治好，可以平平安安地长大。

这是她唯一的心愿。

其他的，不提也罢。

她睁开眼睛，和大家一起，吹熄了蜡烛。

梁元安做的蛋糕很好吃，每个人分了一大块，仍旧没有吃完。于是重新用盒子装起来，让谈静拎回家去。

在公交车上，孙平就已经睡着了。或许是太累了。因为吃完饭后，他们又带着孙平去街心公园，孙平不能做剧烈运动，可是跟普通孩子一样，可以坐小火车，坐旋转木马。谈静平常很少有时间带着孩子出来玩，没想到孙平很喜欢梁元安，缠着他跟自己一起开小坦克。谈静无限心酸地想，或许是因为孙志军从来没有带孩子出来玩过，在孩子的心里，父亲这个形象，缺失得太久太久了。

下了公交离家还有一段路，谈静抱着孩子又要拎蛋糕，着实不便，走了没多远，就觉得气喘吁吁。只好坐到马路牙子上，想换一只手。没想到刚一换手，孩子就醒了，睁开眼睛，细声细气地叫了声："妈妈。"

谈静"嗯"了一声，说："妈妈抱不动你了，妈妈背你好吗？"

"好。"

她重新把孩子背起来，这样轻松多了，还可以腾出手来拿蛋糕。孙平很喜欢吃蛋糕，有时候她也会买店里减价快过期的蛋糕面包给孙平当零食，但是新鲜蛋糕确实更好吃。

孙平搂着她的脖子，软软的声音就在她的耳畔："妈妈，今天你过生日，快乐吗？"

"快乐，只要有平平在，妈妈就快乐。"

孙平嘿嘿笑了一声，说："平平也快乐，因为妈妈快乐……

那个会唱歌的蜡烛真好玩，梁叔叔带我坐的小坦克也真好玩，可惜爸爸不在。妈妈，爸爸呢？"

谈静愣了一下，说："爸爸在加班。"

"他怎么老是加班啊……"孙平明显又快睡着了，伏在她的背上，连声音都听得出来睡意蒙眬，"妈妈，爸爸是为了挣钱给我治病，所以才天天加班对吗？陈婆婆说，你每天上班，不能陪我，就是因为要挣钱给我治病。以后我的病好了，我就快点长大，挣很多很多的钱，一定不让你和爸爸上班了……这样你们就有时间陪着我了……"

谈静忍了一天的眼泪，终于掉下来了。

聂宇晟接到舒琴电话的时候，心情很阴郁。他取了三万块钱，然后在银行特意换了零钞，因为他只打算给谈静两万九千六百四十一块。他把钱扔在地上的时候，有一种践踏般的快感。可是当他从咖啡店出来并启动车子的时候，才觉得肋骨下某个地方，正在抽搐似地疼痛。所谓的心如刀割，原来也就是这样子。

他最恨谈静的也就是这一点，不管是在什么时候，她永远有办法抓住他最软弱的地方，然后狠狠地插上一刀。昨天她向他要钱的时候，他还觉得非常痛快，哪怕这种痛快的背后其实是暴怒。他也巴不得用钱来了结一切，如果钱真的可以了结，真的可以让他忘记她的话。

其实他也知道，自己有多么可笑，哪怕这个女人做出更狠的事情来，他也不会忘记她。

大叠钞票撒手的时候，隔着纷扬的纸币，他看着谈静眼底的泪光，这女人永远这样虚伪，可耻的是，每次看到她泪眼盈盈的样子，他总是觉得，自己才是做错的那个。

回到医院做完两台手术，累得坐在椅子上站不起来，才可以把谈静的影子，稍稍从脑海中驱除一些。谈静交给他的盒子还被他放在医院更衣室柜子里，他其实还是抱了一丝幻想的，比如谈静有一天会来对他说，聂宇晟我错了，其实我是骗你的。他很卑微地欺骗过自己，在国外最艰难最困苦的时候，他曾经自欺欺人地想过，如果回到国内，谈静会突然出现在自己面前，她只要说，我是骗你的，我什么都没有做过，他就什么都肯相信。

可是她连这样的机会，都不曾给他。

换衣服的时候，他漠然地把那个纸盒移开一些，里头的东西沙沙作响，是那些信。他想起那些写信的日子，想起自己在假期顶着酷暑替人翻译资料，顶着烈日站在街头卖饮料，就只为给她买一枚胸针。

那枚胸针镶着碎钻，当时几千块钱，是很昂贵的。她原本不肯收，他说："这是我自己挣钱买给你的。我希望，将来可以送你另一样东西。"

后来买戒指给她的时候，特意选的样子，跟这枚胸针是一套。这样的话，她戴着戒指，同时戴着这枚胸针，也不会显得突兀。

她曾经问过，为什么第一次送胸针给她。

他说，我希望最靠近你心脏的那样东西，是我送的。那时候她笑得多么甜蜜，而那时候自己，又有多傻。

现在她早就把胸针卖了，因为还值几千块钱。

他想到她说那话的情形，就觉得自己真是傻。谁也没想过自己当年还做过那样的傻事说过那样的傻话吧。他微微皱着眉头，把那一盒东西胡乱往里推了推，就像上头有病毒一样，不愿意沾到，也不愿意再碰。

他刚换完衣服，舒琴就给他打电话了。他因为心情非常不好，所以只问："什么事？"

"聂医生，你答应来救我的啊！今天晚上九点，一定要准时出现啊！你不会忘了吧？"

他这才想起来，自己答应过舒琴，如果她们公司周年庆的时候自己不上夜班，就会去接她，让她免于唱K出丑。原来就是今天，他还真的忘了。

这两天发生太多事情了，先是谈静突然昏倒在他面前，然后是她向他要钱——他觉得心里空落落的很难过，这个时候倒是宁可跟舒琴在一起，免得他独自在家又胡思乱想。何况今天并没有夜班。他说："我会去的。"

他下班之后先去吃晚饭，大部分时候他都在医院的教工食堂混一下，有时候也去外面点两个菜，今天情绪低落，原本打算去食堂草草吃一顿，但是一想晚上九点才去接舒琴，自己这么早吃完了饭，更加无所事事。所以就开车跑到很远的一间餐厅，去吃淮扬菜。

一个人点菜当然很为难，就点了餐馆的两样特别推荐，再加了一份汤。等上菜的时候，无聊地玩弄着餐厅点菜用的IPAD，刷着网页看新闻。

有聂东远大幅的照片，最近聂东远投资的几个公司接连在美国上市，所以他的投资基金非常受到关注，财经记者用了很夸张的词汇来形容聂东远，说他雄心勃勃。聂宇晟有点冷漠地看着网页上聂东远的照片，雄心勃勃，当然是的。

他和聂东远的关系已经疏远到不能再疏远，尤其他对聂东远的公事，从来都不关注，偶尔新闻里看到，只当做没看到。至于私事，他心里想，聂东远哪还有什么私事，在公司他是董事长，在家里他仍旧是董事长，说一不二，把所有人都只当成是下属。

财经记者写到，聂东远已经快要六十岁，但是老骥伏枥，因为聂东远说："我太太很多年前就已经去世，一直没有续弦，因为很多女人都并不喜欢我这种人。我除了工作，再没有别的乐趣。"记者还写，聂东远接受采访的地点是在他的办公室里，所以记者注意到在他的办公桌上，放着亡妻年轻时候的照片，还有独生儿子拿到博士学位时的照片，可以看出聂东远铁汉柔情的一面。看到这里，聂宇晟几乎要冷笑出声，拿到学位那段时间，几乎是聂东远和自己关系最僵的时候。聂东远断绝他的经济来源数年，看他仍旧不屈服，于是放言说要脱离父子关系，剥夺他的继承权。而自己在越洋长途里淡淡地答："当然可以，您找律师，我签字，反正我对您的钱也没有兴趣。"聂东远当然被他气得够呛，而他那张戴着博士帽的照片，还是聂东远的秘书为了当和事老，偷偷在学校网站上下载打印的。他几乎都想像得出来当时聂东远的心态，既然自己学医已成定局，连最后的杀手锏都使出来仍旧不管用，那么有个博士儿子又不算丢人，照片就镶起来摆在桌上好了，正好让外人看看他到底有多疼这个儿子。聂宇晟把IPAD关掉，握住那杯冰凉的柠檬水，冷漠地想，记者若是知道当年他聂宇晟博士毕业的时候，聂东远根本都没有去参加他的毕业典礼，还扬言要跟他断绝父子关系，不知道作何想。

吃完饭差不多八点多，正好开车去舒琴指定的地方，路上交通并不顺畅，到的时候稍微晚了几分钟，刚把车停下，正好看见一群人从餐厅走出来，舒琴远远看到他的车，立刻向他飞了个眼风。帮人帮到底，送佛送到西，他很干脆地下车来，做了一个等人的姿势。

舒琴立时一脸甜蜜地跟同事们打招呼："哎呀，我朋友来接我了，我不和大家去唱歌了。"

"男朋友吗？介绍一下啊！"有人起哄。

"普通朋友，普通朋友！"舒琴一边说，一边急匆匆地挥了挥手，就想溜之大吉。本来他们晚上聚餐，气氛不错，所有人都喝了不少酒，连董事长也有点半醺微醉的样子，听到她这样说，于是点名叫住她，说道："舒经理，就算是普通朋友，也得给我们介绍介绍，没准哪天就不普通了呢！"

老板发话，舒琴为难起来，本来只是叫聂宇晟来救场，可没想到把自己陷到这种进退不得的地步，她知道聂宇晟的脾气，不敢胡乱说什么，只好求助似地望着他。

聂宇晟看到这种情形，不能不替舒琴解围，所以也就打了个招呼："大家好，我是舒琴的朋友，在医院工作，我姓聂。"

"聂医生啊！"董事长笑容满面，握着他的手，"我们王副总的病就是你替他做的手术吧，你好你好，太感谢了！"

聂宇晟说："不客气。"

"既然来了，不如一起去玩玩，我们正打算去唱歌！"

"不用了，我们还有别的事。"

在一堆人笑眯眯的目送之下，两个人上车离开。舒琴松了口气："真不好意思，我也没想到董事长还会来那么一句。"

"没关系，你想上哪儿去？"

"晚上光顾着应酬老板们了，没吃饱，你吃了没？"

"吃了。"

"那送我回家吧，我去吃点宵夜。"舒琴将头靠在车窗上，她开车的时候和坐车的时候，都不怎么喜欢用空调，总是愿意把车窗降下来，让夜风吹动自己的长发。她吹了一会儿风，突然问聂宇晟，"你今天为什么心情不好？"

他正专注开车，随口反问一句："有吗？"

"都多少年的老朋友了，何苦骗我。你但凡心情稍好一点，对谁都是爱理不理的，今天还肯跟我们老板搭话，说明你心情糟透了。"

聂宇晟这才瞥了她一眼："我又不是变态，难道我心情不好才会应酬人？我替你解围，还被你这样说。"

"那么要不要去喝点酒？庆祝下你生日。"

聂宇晟淡淡地说："我不过生日。"

舒琴知道他的习惯，因为他生日正好同前女友生日同一天，所以自从跟前女友分手之后，他就不过生日了。她说："我在往你伤口上撒盐呢，你为什么还这么淡定。"

聂宇晟说："什么伤口，早就好了。不过生日是因为太累了，今天做了两台手术，明天还有大夜班。"

舒琴笑了笑，她说："对不起，我喝醉了胡说八道，你别跟我计较。"

她确实喝了不少酒，车子里都是她身上的酒香，聂宇晟说："你还是直接回家去吧，一个女孩子孤身去吃宵夜，你又喝过了酒，不太好。"

舒琴说："没事，我就是不愿意一个人回去对着空屋子。"她有点伤感地说，"静得像坟墓似的，觉得自己像个未亡人。"

把舒琴送到了地方，聂宇晟开车回家，想起她说的，自己何尝不是有点不愿意回家去，对着空荡荡的屋子？一段几乎耗尽生命中全部热情的恋情，把他和舒琴一样，变成了外表正常，内心灰烬的未亡人。在生活中，他们仍旧像所有人一样正常地活着，为了工作为了事业忙碌，可是一旦回家孤独地待着，就像是一个囚徒，心灵的囚徒。

不知不觉，车子停了下来，他这才发现自己走错了路。这条路并不是回家的那条路，可是他为什么开车到这里来？

他又想起那个晚上，自己开着车，一路跟在公交的后面，看着谈静下了车，他又开着车，跟着她慢慢地走。

这么多年过去，隔着山重水远的往事，也许爱情早就稀薄得像是清晨的一颗露水，在太阳升起之后，慢慢地蒸发。可是他的心却是一个封闭的容器，不管这颗露水如何蒸发，始终都会重新凝结，然后汇聚，滚动在心的容器里，无处可去。

他把车开到了那条小街上，然后停下来。他对自己说，这样的事情，是最后一次了。早上当他把钱撒掉的时候，他就想，这是最后一次了。在向往事告别之前，他忍不住想要来看她最后一眼。

从此后，就当成是陌路人吧。

他把车灯熄掉，也许谈静早就下班回家了，也许她还没有下班，怎么说得准呢。就像一场爱情的结局，他曾经那样千辛万苦地爱过，最后，却是一场惘然。他坐在那里静静地悼念，是的，悼念过去的一切。

谈静终于回来了，虽然天色已晚，虽然路灯并不亮，可是在很远的地方，他已经一眼认出了她。她背着孩子，一手拎着一个盒子，走近了才看出来，那是个蛋糕盒。

今天也是她的生日。

母子两个很高兴的样子，一路走，一路说着话，就从他的车边走过去了。他听到孩子软软嫩嫩的声音在问："妈妈，爸爸呢？"

他听到谈静的声音，说："爸爸在加班。"

他一动不动地坐在车内，原本曾是他的爱情，可是早就与他无关。现在她有自己的生活，有自己的家庭，有人替她过生日，而自己，只是一个纯粹的傻瓜。不过一切早就已经结束了，他庆幸地想，终于都结束了。

在昨天晚上接到她电话的那一刹那，在今天早上他抓住纸币撒手的那一刹那，在刚刚听到她温言细语跟她儿子说话的那一刹那。

曾经有许多时候，觉得生不如死地痛苦，熬过来却发现，也不过如此。这世上最遥远的距离，不是当爱已成往事，而是你以为刻骨铭心的往事，在对方的眼里，不过是早已遗忘的一粒砂。对方甚至会停下来，轻松地倒倒鞋子，把这粒硌脚的砂粒磕出来，不屑一顾。

聂宇晟，这么多年你终于死心了吧。

他对自己说着，除了去买一个新手机，更下决心换一个新的手机号码。

第二天谈静上班，值班经理突然把她叫过去，问她："昨天的流水呢？"

谈静觉得莫名其妙，因为昨天下班之前，她已经打印了一份收银机的流水交给值班经理了。

"我交给您了……"

"店长还要一份，去打吧。"

有时候收银流水有问题，也会重新打印一份，谈静于是去重新打印了一份昨天下午的收银流水，交给值班经理。值班经理翻看了一下，问："一共卖掉四个生日蛋糕？"

谈静答："是的。"

生日蛋糕这种东西不像店里的其他西点，生日蛋糕虽然利润高，但不见得每天都有人买。

"三个外送，一个当场做当场带走。"

梁元安记得很清楚，因为昨天他是值班的裱花师傅。店长问到他，他马上就回答了。

"那为什么盒子少了一个？"

店长表情严肃，指了指操作间架子上放的生日蛋糕盒。店里大的蛋糕盒都有清点盘存，但有时候有损耗，也是正常。

"我昨天替客人裱完蛋糕，装盒的时候不小心压破了一个，就丢了。"梁元安答得很轻松，"小李他们也看到了。"

"你昨天裱了四个蛋糕？"

"是啊。"

"你没有记错？"店长轻描淡写地问，"是不是裱了五个蛋糕？"

"就是四个。"梁元安一口咬定，"我记得很清楚。"

店长似乎是冷笑了一声，说："监控录像里拍到你裱了五个蛋糕，还有个蛋糕呢？又少了一个盒子，是不是你私自拿出去卖了？"

谈静静大了眼睛，他们这间店并不大，一共有两个监控探头，一个对着收银台，一个在冷柜上方，冷柜上方那个基本可以看清楚全店的情况，收银台那个和银行柜台的一样，可以清楚地看到收银员所收的每一笔钱。可是操作间里是没有监控的，第一是因为操作间不大，各种架子放得满满当当，还有烤箱也在里面，并没有合适的地方装监控探头。第二是因为本来操作间和店堂就是透明的玻璃隔断，一举一动外边都看得到，顾客也看得到。

她昨天只顾着埋头收钱，人少的时候也在发愣，完全没有注意操作间里的事。她抬头看王雨玲，只见王雨玲脸色煞白，朝着她直使眼色。

到这种地步，梁元安反倒很轻松似的："裱坏了一个，就当损耗了。"

裱花师每个月都有损耗指标，梁元安因为技术好，所以很少有损耗。他这样说，店长也无可奈何。只能追问："那裱坏的蛋糕呢？"

"都快下班了，就吃了。"

店长说："按规定，过期的面包和蛋糕可以扔掉，但刚做的生日蛋糕可以在冷藏柜里放三天。你一个人吃了？"

梁元安脾气本来就不好，这个时候也硬倔起来："就是我一个人吃了，要怎么样你说吧！裱坏的蛋糕不都是吃掉的，放三天吃掉跟昨天吃掉有什么区别？难道就因为我们吃的时候没叫你？"

话说得很难听，店长面子也下不来，直接转过脸去看值班经理："裱坏的蛋糕你看过才可以报成损耗，他叫你看了吗？"

值班经理说："没有。"

"那就是盗窃，而且盒子也少了一个，谁知道你是不是拿出去卖了。"

谈静不能不出声了，因为在店里，这种事处理得特别严重。梁元安如果被定为盗窃，就会马上被辞退，而且从此被列进黑名单。所有西点店都不会再聘用他作裱花师。谈静并不傻，她知道昨天那个蛋糕肯定是梁元安做了私下里拿出来的。因为裱花师如果故意把花裱坏，这蛋糕肯定算损耗，最后分给店里人吃掉。梁元安可能是想占这么一点小便宜，可是做事不周到，没有给值班经理看过，以为侥幸可以过关。

"店长，这事不怪梁师傅。"谈静脸已经涨红，"是我请梁师傅帮我做了个蛋糕，因为是员工折扣要申请权限，我就想今天跟值班经理说，把钱补进去，还没来得及补。"

王雨玲站在她后面，直拉她的衣角，她只装作不知道。梁元安说："不是谈静……"

"昨天我生日，所以请梁师傅做了个蛋糕。"谈静大声打断梁元安的话，"梁师傅你别说了，是我的错。你仗义我谢谢你，可是你要被开除了，就没有蛋糕店再请你，你学了这么多年裱花，为我的事太不值得了。"这话让梁元安震动了一下，西点这行其实圈子很小，如果他因为盗窃被开除，基本就上了全行业的黑名单。他家里条件并不好，好容易现在因为裱花技术能拿一份不错的工资，乡下的父母还指着他寄钱回去盖房子。他嘴角动了动，终于忍住了。

"昨天是我生日，所以才请梁师傅做蛋糕。"谈静对店长说，"不信您可以看我的身份证，店里也有登记。"

店长也没想到她会出来说话，他并不常到店里来，对谈静的印象就是挺老实挺内向的一个员工，收银上几乎从来没有出过岔子，在店里做了很多年，印象中挺可靠一个人。

可是这事情做得太不可靠了，店长有点不相信，追问了一句："谈静，你知道你在说什么？这不是开玩笑的。"

谈静终于鼓起勇气抬头看了店长一眼，他的表情很严肃，似乎不相信她所说的话。她轻轻点了点头，说："是我错了，我真的打算今天把钱补上的，正要跟经理说，您就来了。"

"你都做了这么多年的收银员，你怎么会犯这样的错误？"店长对谈静印象挺好，所以语气很重，"这是要开除的！"

"我知道，是我错了。梁师傅也是拗不过情面，您别怪他，他挺仗义地把这事揽到自己身上，就是同情我，怕我丢饭碗。"谈静越说声音越低，最后低得几乎听不见了。

店长表情很难看，最后说："那你把钱补上，自己辞职吧。"

这已经算是很轻的处分，一般这种情况会视同收银员贪污，直接开除不说，甚至会报案。虽然金额很少，但因为收银跟大量现金打交道，所以公司在这方面，管理制度都是十分严厉的。

"谢谢店长。"

店长十分失望，说："你是老员工了，唉……"他转过脸去问值班经理，"下午谁当班，叫她先来接谈静的班。"

谈静把账目清理了一下，早上还没有开始收银，所以非常简单，只把昨天的钱补上。当月工资当然不能算给她，因为算她自己辞职。王雨玲一边帮她收拾，一边都快要哭出来了。谈静只抽空跟她说了一句话："叫梁元安千万别犯傻。"

梁元安这个人爱面子讲义气，说不定就会冲出来把事一五一十全说了。梁元安跟谈静不一样，他是凭手艺吃饭的，要是当不成裱花师，就什么工作都不能干了。王雨玲一直很担心，所以一直在操作间那边走来走去，直到店长走了。

谈静跟接班的收银员交接完账目，就直接走人了。店里其他人都在上班，没有人送她，她一个人走在大马路上，太阳明晃晃照着，才觉得难受。

生活就是这样，刚刚给你一点点甜，就会让你吃更多的苦。

纵然她已经习惯了，可是这两天发生了太多太多的事情，让她觉得没有力气再挣扎。孙志军还在派出所里没消息，她又丢了工作，柴米油盐，房租水电，还有平平的医药费……

她坐在滚烫的马路牙子上，捧着下巴发愣。

沥青路面在骄阳下蒸腾起一层热浪，旁边的槐树无精打采低垂着枝叶，正是一天中最热的时候。连清洁工人都在斗笠下围着毛巾，全身上下裹得严严实实，怕被阳光晒伤。

她到哪里再去找一份工作呢？

没有大学文凭，没有一技之长。连卖苦力，她只怕都不够格。

她怕自己中暑，只坐了一小会儿，就站起来，去不远处的报刊亭买了份报纸，不论如何，她得先找到一份工作。天无绝人之路，她一定能想到办法的。

她买了报纸就去接孙平，孩子不论何时看到她，都非常高兴："妈妈你今天这么早下班？"

"嗯。"

"今天玫玫姐吃冰淇淋了，可是陈婆婆说，我不能吃冰的，吃了会不舒服，所以婆婆专门切了西瓜给我吃。"

天气太热，从陈婆婆楼上走出来，她已经一身汗，何况孩子看到别人吃东西，总是嘴馋，那是天性。她柔声说："平平是不能吃冰淇淋，婆婆是为了你好。"

"我知道。"孩子点点头，"感冒就又要去医院打针，我不吃冰淇淋。"

"回家妈妈打豆浆你喝。"

"好。"

本来生活再困难的时候，她也给孩子买奶粉喝，可是后来国产牛奶出了事，进口奶粉买不起，她就咬咬牙买了台豆浆机。

家里也是闷热的，她把窗帘全放下来，又往地上泼了凉水，然后打开电扇，这才显得凉快一点。孩子看她操作豆浆机，问她："妈妈，豆渣好吃吗？"

每次打完豆浆她都舍不得把豆渣扔掉，放点盐炒炒也是一盘菜。她笑着说："豆渣好吃，晚上我们炒豆渣吃好不好？"

"爸爸喝酒的时候，最喜欢吃豆渣。"孩子忽闪着大眼睛看她，"妈妈，爸爸呢？他还在加班吗？"

她的手顿了顿，孙志军还在派出所里，没有任何消息。她总是下意识从难题前逃开，可是也有逃不开的时候。不管怎么样，孙志军仍旧是她合法的丈夫，孙平的父亲。

她拣出几颗豆子放在碟子里，倒上一点清水，说："平平，我们来看豆子发芽，等豆子发芽了，爸爸就回来了。"

"好！"孙平拍起小手，"等豆子发芽喽！"

晚上的时候，她临时把孩子托给开电梯的王大姐，自己去了医院。医院里人多传染源多，孙平本来免疫力就不好，如果不是看病，她尽量避免带孩子去那种地方。

这次她又拿了一千块钱，事到如今，只能花钱免灾了。

这次冯竞辉的妻子也在，看到她之后仍旧没什么好气，不过她递上一千块钱，冯竞辉的妻子也收了，说："把自己男人管紧一点儿，别让他在外头横行霸道的。这次打了我们，我们算是好说话的，下次打到别人，别人能轻饶你吗？"

谈静低声说："谢谢您，我会好好劝他。"

"都是女人，你也不容易。"冯竞辉的妻子说，"我们老冯也是无心的一句话，你别往心里去。这次我们不会告，派出所那边，我们就认调解了。"

谈静心里疙疙瘩瘩的，也不知道事情的原委，只是千恩万谢。回去的路上，心里就跟落了一块大石头似的轻松。

她回到家时，孙平已经在王大姐那里睡着了，她抱着孩子上楼，摸黑进了屋子，把孩子放在床上。窗户里漏进来一点点光，正好照着窗台上那个搁着豆子的碟子，浅浅的一点水，映出细微明亮。豆子还没有发芽，可是已经鼓鼓地膨大了许多，等天亮的时候，就会长出豆苗来。

明天，明天孙志军就能出来了吧?

对孩子的愿望，她总是尽量满足，因为在这个世上，让自己失望的事情已经有很多很多了，所以每次答应孩子的事，她总是尽量做到，不让孩子失望。明天豆子会发芽，明天孙志军应该能回来了。

【陆】

　　"二十八床的小朋友今天手术。"护士知道聂宇晟的习惯，所以问，"聂医生，您要不要先过去看看？"

　　"好。"

　　这是聂宇晟的习惯，每个病人手术前，他都要去病房跟病人聊聊，一来是缓解病人的情绪，二来是怕漏了什么注意事项，三来也会跟病人家属交换一下手术前的最后意见。

　　二十八床的小病人是个挺乖的小姑娘，特别喜欢他，一见了他就叫："聂叔叔！"

　　"哎，蒙蒙，今天不能吃糖，所以叔叔没给你带来。"

　　"没糖吃没关系。"蒙蒙裂开嘴一笑，她正换牙，所以少了一颗门牙，"妈妈说换牙不能吃太多糖。聂叔叔，妈妈说今天做手术，手术要多久啊？"

"嗯，你闭上眼睛睡一会儿，等睁开眼睛，就做完了。"

"这么快呀？"

"是呀。"

"叔叔有份礼物送给你。"

"是什么？"

聂宇晟伸出手来，手心里是几颗圆圆的黄豆。

"是豆子哦！"蒙蒙说，"这个我知道，这个是黄豆。"

"对，蒙蒙真厉害，认识这个是黄豆。"

聂宇晟拿了一只很小的一次性塑料量杯，平常都是喝药用的。他把豆子放在里面，倒了一点点清水，说："等蒙蒙做完手术，豆子就发芽了，这样等蒙蒙醒过来的时候，就可以看到白白胖胖的豆苗了。"

"哇！它会发芽？"

"是啊，而且发芽特别快，等你进了手术室睡一觉，再醒过来，就可以看它长出来的小豆苗。"

蒙蒙直拍手："聂叔叔好厉害！"

"是豆子好厉害，别看它小，也别看它硬，可是只要给它一点点水，它就会马上长出豆苗。蒙蒙也要像它一样坚强哦。"

"好！"蒙蒙从床上爬起来，搂住聂宇晟，"聂叔叔我亲亲你！待会儿出来，我要看豆苗。"

"唔，待会儿出来，聂叔叔跟你一起看，豆苗会长到多长，多高。"

孩子软软的小嘴亲到他的脸颊上，带来的温柔触感，让他心里舒服很多。走出病房的时候，小护士直笑："聂医生你真会哄孩子。每次拿几颗豆子，都能哄得小朋友开开心心进手术室。"

聂宇晟的脸上并没有笑意，只是礼貌地点点头。护士们都见惯了他这样子，知道他其实是外冷心热，不怎么爱说话，所以笑笑也就过去了。

聂宇晟没有说话的原因，是因为又想起了谈静。

谈静有一次跟他说起过，小时候她妈妈经常去华侨酒店的大堂弹钢琴，挣一些外快贴补家用。而她放学之后，就常常被独自锁在家里，那时候她不过六七岁，家里又没有买电视机，所以一到天黑就快快地钻到被子里去，可是又睡不着。听着隔壁电视机的声音，那里面在放动画片。所以那时候，她最大的心愿就是买一台电视机。

当时，他听着一阵阵心疼，问："那你不怕吗？"

"怕啊。"她笑着说，"我妈妈每次临走前，会捏几颗豆子放在碟子里，对我说，别怕，豆子发芽了，妈妈就回来了。等我睡醒了，天都已经亮了，豆子真的发芽了，妈妈也早就回来了，都在替我做早饭了。"

那次他发烧了，她却不能不离开。临走时千般万般地不舍，大约是自己的孩子气打动了她，她找出平常打豆浆的黄豆，随手就捏了几颗豆子放在碟子里，倒上一点点清水，对他说："等豆子发芽了，我就会回来了，那时候你的病也好了。"

她等他睡着，就轻手轻脚地离开了。他迷迷糊糊地睡着，醒来的时候专门去看了看。而那碟豆子，也只是膨大了一些，并没有发芽。他就这样半梦半醒，一直到了第二天早上，烧已经退了，人疲倦得像是一整夜没有睡，而碟子里的豆子，终于长出了白胖胖的嫩芽。

无数次，当他一个人独处的时候，总是习惯捏几颗豆子，放在碟子里，再放上一点清水，静静地等着它发芽。

每次豆子都发芽了，可是谈静再也不会回来了。

做完手术出来，护士告诉他："方主任问过一次，估计找您有什么事吧，我说您还在手术室。"

"好的，谢谢。"

他走到方主任的办公室去，两个博士正围着方主任在讨论什么，方主任抬头看见他，说："手术做完了？"

"做完了。"

方主任没有问他手术结果怎么样，他对聂宇晟从来有这样的信心，于是招呼他："来，看看这个。"

聂宇晟走过去看了看，是一份心血管造影，方主任问他："怎么样？"

"法洛四联症，肺动脉狭窄情况比较严重。一般来讲，这种情况新生儿就做手术了，拖到这么大，比较少见。"

"有把握吗？"

聂宇晟有点意外，这种手术在他们心外科不算太复杂，一般的医生都能做下来。

"医院通过那个项目了，CM公司补贴的那个。"

聂宇晟愕然，方主任笑了笑，说："你怎么这种表情，最开始提到引进这个项目，你的态度是很积极的。"

"不是说还要论证……"

"论证过了。"方主任说，"上个礼拜的时候，医院不是开会了吗？还邀请了好几位业内的权威。哦，你没参加，当天你有两台手术。"

聂宇晟不做声，他知道这是方主任的小技巧，把他从项目论证会议里头摘出来，这样即使将来出了任何问题，他也没有嫌疑。

"我们选中这个病人做第一例。"方主任的手指轻轻在病历上敲了两下,"因为这是最常见的法洛四联症,我们在这方面有大量的临床经验可以用,毕竟是新的项目,慎重第一。这个病人是李医生推荐的,据说家境比较困难,应该会接受贴补方案。从现在起,这个病人交给你负责,你去联络一下病人家长。"方主任的眼睛已经有点老花,不做手术的时候又不戴眼镜,所以拿起病历,有点吃力地辨认着上面的名字,"孙……平……唔,这孩子就是我们这个项目的第一个病人。"

孙平?

聂宇晟只觉得这个名字耳熟,他突然想起来,刚刚那份造影自己一定在什么地方见过,而且是非常重要的场合,因为脑海里有印象。虽然他每年看的造影何止成百上千,可是这份造影,他一定是在什么重要的地方见过。公开培训?不,公开培训时一般都是复杂的案例,不会用这样常见的法洛四联症。方主任会诊的时候?不,也不对……他终于想起来,在电光石火的一刹那。

"我反对!"他脱口说,"这个病人不行。"

"哦?"方主任诧异地问,"为什么?"

他说不出理由,因为这是谈静的儿子?不,太可笑了,全医院都不会知道谈静是谁,他又如何向一个外人、一位师长,解释自己那难以启齿的私人感情纠葛。

仓促间他只能做出回答:"手术风险比较大,病人如果是成人,在各方面承受能力会比较好。"

方主任疲惫地捏了捏眉心:"我何尝没有考虑过,但你有没有想过,成人虽然在各方面承受能力会比较好,但这个项目只对先天性心脏病有着高额补贴,可是先天性心脏病的患者,几乎没有合适的成年病人。"

因为严重的先天性心脏病患者，有手术机会的早就已经做了手术，没有手术机会的，要么已经活不到成年，要么根本从理论上就无法施行手术。

"这孩子算是所有病患中最大的一个。孩子越大，治愈的机会越少，家长的心理承受能力，也会相应地更强一些。"方主任做了决定，"这样吧，你先联络孩子家长，看看他们愿不愿意接受项目资助，做这个手术。"

"我仍旧反对选择这个病人。"聂宇晟已经迅速地理清了思路，"第一，这个患儿年龄比较大，相对来讲，病情比较严重，我担心预后不佳；第二，法洛四联症虽然是常见的先天性心脏病，但是是相对复杂的一种，项目刚刚开始，是否考虑从易到难，循序渐进；第三，这个患儿我见过一次，是他家长带他来的，我想他们虽然家境不佳，但不见得愿意接受这种高风险手术方案。"

方主任笑了笑："刚刚还在跟我说，病人年龄越大越好，现在又嫌这病人年龄太大。你的第二个理由比较有道理，但是简单的心脏手术，费用不高，一般家庭哪怕是借两万块钱，也都给孩子做了手术，补贴没有意义。至于第三个理由，你先联络了患儿家长再说吧，还没试过，怎么就知道人家不乐意？"

聂宇晟没有办法，只能接过方主任递过来的病历。

病历上就写着病人的联络方式，是个固定电话，后面娟秀的字迹注明是家长谈静的工作单位电话。谈静，当他的目光触到这两个字的时候，似乎身体的某个部分都在隐隐作痛。

命运从来不吝于捉弄，总是以各种奇怪的方式，把早就已经缘尽的两个人，再次拉到一起。只不过，这次是纯粹因为公事。

他几乎不能肯定自己，是否有足够的自制力，去替她的儿子做这样一台手术。

不过，出于医生的职业道德，他不能不依照方主任的指示去联络她。如果她拒绝这份方案，就再好不过了。

谈静离职的当天晚上，心里还是挺难受的，没想到第二天一早，王雨玲就找到她家里来了。谈静记得她应该是上午班，所以挺诧异地问："你怎么来了？你不上班吗？"

"我跟梁元安都不干了！"

谈静急了："你们干得好好的，为什么不干了？"

"梁元安说，他不能为了他犯的错，让你丢饭碗。"王雨玲说，"他不干了，我也不干了。反正我们俩都不干了。"

谈静急得顿足，说："你们这是干什么，你们这不是急死我吗？"

"你急什么啊！"王雨玲说，"昨天你走了之后，梁元安就一直不高兴，后来还拉我去喝酒，在吃宵夜的时候他就说，咱们不能这样不讲义气，明明那蛋糕是他拿出来的，却叫你去顶缸。你一个人还带着平平，怎么样也不能没这份工作，所以今天一早，梁元安就去找店长了，我来找你。反正我们都不干了，索性跟店长把话说明白，这事跟你没关系。"

谈静说："我就是因为不想梁元安丢饭碗，才把这事给认下来，你们现在这样，不是前功尽弃吗？"

王雨玲很轻松地笑了笑："什么钱不钱的，在店里打工，能有什么前途啊，也挣不到几个钱。"

"明明这事已经过去了，你们干吗还这样犯傻啊？"

王雨玲忽然看着谈静，说："其实最开始的时候，我也劝梁元安，这事已经过去了，没必要再赔上他，我们尽力再帮你找个好工作就是了。可是梁元安说，他良心过不去。他的良心都过不去，我的良心难道能过得去吗？谈静，咱们认识这么多年了，我知道你讲义气，你讲义气，我们难道不能跟你一样讲义气？这事情跟店长讲清楚，你就可以回去上班。你带着平平不容易，还要攒钱给孩子做手术呢。孙志军那个人指望不上的，我们要是这次不站出来，我们会一辈子良心不安的。"

谈静忍不住叹了口气，说："那你们做这事之前，也先跟我商量一下。"

"跟你商量，你就不准了。"王雨玲说，"你那倔脾气，我是知道得一清二楚。"

"可是没必要连你都绕进去啊，这事跟你又没关系。"

"梁元安想好了，打算去租店面开个蛋糕店。他一个人哪忙得过来啊？所以我要跟他一起去开店。"王雨玲提到这件事，目光熠熠，连脸颊都红了，"反正他到哪里，我就到哪里，开蛋糕店毕竟是自己的生意，总比一辈子给人打工要强。"

谈静没想到梁元安有这样的打算，想到他手艺很好，自己开店倒真是条路子，比在店里拿那一点死工资要强得多。事到如今，她拦阻也来不及了，看着王雨玲的样子，倒是十分情愿跟着梁元安去闯一闯。谈静想不出来什么话说，只是握着王雨玲的手，使劲地摇了一摇，表示她不管做什么决定，自己都会支持。王雨玲懂得她的意思，粲然一笑。

这件事情进行得很顺利，本来店长就挺喜欢谈静，听到梁元安把事情讲清楚，马上就同意谈静回去。因为店里缺人手缺得厉害，店长还亲自打了个电话，催着谈静当天就去上班。

谈静回去正好接收银员的下午班，王雨玲和梁元安已经办完手续，正式离职了。因为王雨玲爱说爱笑，梁元安的人缘又好，所以店里的同事都挺舍不得他俩。听说他们俩要去开店，更是起哄，要给他们送行，大家就约好了晚上一起吃饭。更有人说：
"咱们顺便替谈静接个风。"梁元安虽然是因为生日蛋糕的事离
职，却是满不在乎的样子："对！顺便给谈静接个风，不醉不
归！"

谈静只是抿嘴笑笑，看值班经理阴沉着脸站在那里，连忙向
大家递眼色，众人也就连忙各归其位，去忙活手头的事。

梁元安跟王雨玲一直走出店门，还在打手势示意晚上见。谈
静因为经理就站在旁边，所以老老实实的，头也没抬，忽然听到
经理说："谈静，你过来一下。"

谈静还以为他是要讲梁元安那件事，心想店长已经批评过她
了，说她乱担责任，无视规章制度。但总体来说，店长对她态度
还算和蔼，最后还说，我就知道你不会干出那样的事。

谈静还以为值班经理也要跟店长一样，批评教育她一番。谁
知道值班经理只淡淡地说："你以前干得很好，这次回来上班，
一定要保持原来的工作态度。"

谈静答应着，值班经理最近对她似乎有什么看法，一直对
她不冷不热的，甚至有时候还总是挑刺。但她也想不出来，自己
到底什么地方得罪了经理。而且经理明明下周就要去总公司上班
了，何必跟自己这个小小的收银员过不去呢？经理又说了几句别
的话，突然问她："谈静，你那个邮箱是哪个？"

谈静被他问得莫名其妙，讷讷地问："您说的是什么邮
箱？"

"就是上次发解释信的那个邮箱。"

值班经理这么一说，谈静才想起来，说："噢，那个是我随
便注册的一个。"当时临时要用，她就直接上门户网站注册了一
个免费邮箱，没想到过了这么些日子，值班经理突然提起来。

"总公司发了一些资料过来，发到上次用的那个邮箱里了，你把邮箱写给我吧。"

谈静也没想太多，就把邮箱写给了他，还有密码也给了他。值班经理这才点点头，说："你回去工作吧。"谈静已经走了几步，他突然又叫住她，对她说，"这事不要跟别人说。"

谈静点头答应了，走回收银台去。下午时分天气炎热，顾客很少。店里冷气很足，店里同事有的在清理托盘，有的在整理橱柜，也没有太多人注意他们说话。

到了晚上吃饭的时候，却是十分热闹。王雨玲本来就是个爱热闹的，再加上一个嬉皮笑脸的梁元安，大家再一起哄，几乎把馆子的屋顶都要掀翻。最开始的时候上了一盆麻辣小龙虾，一个个吃得大呼过瘾，倒把几样其他的菜都撇下了，然后又加了一盆麻辣小龙虾，一边吃一边喝，没一会儿工夫，一箱啤酒就没有了，马上让老板又拿了一箱。

谈静还是第一次看到大家疯成这样，一个个都开了酒戒，包括店里年纪最小的一个女店员。谈静自然不由分说被塞了一大杯啤酒。

"我不会喝酒。"

"少来！"王雨玲虽然没喝多少酒，但脸上红彤彤的，倒是像已经喝醉了，"以后叫你喝也没机会了，这是啤酒，跟米酒一样，没啥酒精。大家都喝了，你怕什么！"

离愁别绪，仿佛只有酒能排遣，也仿佛这酒并不是因为排遣，因为到最后所有人全都开心起来。开店是件好事，大家都这样觉得，梁元安这次离职，虽然原因说起来似乎不太好听，可是毕竟是要自己去开店了，用同事们的话说，这就自己当老板了，自然是敬了一杯又一杯，喝了一轮又一轮。

以前店里也有类似的聚餐，一般是春节之后。春节之前店里会有公司掏钱的团年饭，但春节之后，大家一般会自己凑钱吃上一顿。因为做这行流动性很大，很多人干到春节就不干了。春节后仍旧来上班的同事，就意味着基本上今年继续要做同事，所以大家通常会凑钱下馆子吃一顿，也算开年集体改善生活。

可是每次的气氛都不像今天晚上，最后都闹到要王雨玲跟梁元安喝交杯酒了。梁元安笑嘻嘻的，说："喝就喝！"

王雨玲是女孩子，自然脸皮薄，有点不好意思，可是不等她反对，早就有两个女孩子按着她，连声嚷嚷："快拿杯子来，这杯酒是一定要喝的！我们都还在店里打工，你就要去当老板娘了！今天先喝上，等你们结婚的时候，看我们怎么轻饶了你们俩！"

这下子大家起哄，就更加热闹了。一片叫好声中，梁元安跟王雨玲喝了交杯酒，所有人又轮流向他们敬酒，他们又反过来向所有人敬酒，到了最后，也不知道谁敬谁，总之只看到一瓶瓶的酒被打开，喝得尽兴而返。

谈静因为不会喝酒，而且都知道她家里还有孩子，大家也不怎么勉强她，所以她倒是喝得最少的一个。按规矩这顿饭大家AA制付账，最后小店老板来算账的时候，也就是谈静还非常清醒，把每个人多少钱都算了出来，大家凑钱买单。梁元安醉得特别厉害，他本来就跟一位同乡合租，就有位男同事送他回去。而王雨玲也喝得差不多了，谈静于是说："我送小王回去吧。"

王雨玲住的地方，跟谈静住的地方并不是一个方向。她把王雨玲送到之后，已经赶不上最后一班地铁了，本来想就在王雨玲那里凑合一晚上，反正孩子在陈婆婆那里。但是一想王雨玲的床本来就是个单人床，她又喝醉了，人喝醉了只想睡着舒服点，自己若是跟她挤，没准让她受罪。于是打定主意还是回家去。她伺候喝醉的人已经有了经验，熟门熟路地打水替王雨玲擦洗干净，替她换了件睡衣，又拉了毯子给她盖上，看她睡得沉沉的，才下楼赶公交回家去。

她转了几趟车回家，差不多已经是半夜了。夏天的时候，居民区外头都很热闹，一条街边摆了好几家大排档烧烤，还有些人在乘凉。两边小店都还没有关门，挑出来的灯照着吃排档的人，光影幢幢。她这个时候倒觉得酒意有点上头，拖着疲惫的腿，从这热闹里穿过去。风里吹来烤肉串的青烟，夹杂着辣椒粉孜然粉的香气，香得有点呛人咳嗽。

走到楼下的时候，她倒有点不想上去了，因为夜里的这一阵凉风很舒服。这里是老式的居民楼，前面种了一排香樟树。因为没人管理，樟树也长得不好，稀稀落落的，有的树前几年就枯死了，却没有人动，拉绳子系上了，平常大家晒被单。只有靠着楼头一棵树长得特别好，像是一把绿伞似的，晚上的时候，总有几位老人坐在树底下乘凉，今天大约是太晚了，老人们都回家睡觉去了，就有一个人站在垃圾箱那边抽烟，烟头一闪一闪的，在黑夜里特别醒目。她原本以为是楼上的邻居下来扔垃圾袋顺便抽支烟，没想到走近一看，原来是孙志军。

她这几天累得够呛，看到是他，也懒得说话，径直就往楼上走。倒是孙志军追上来，拽住了她的胳膊："你往哪儿快活去了？半夜才回来了！"

她回头看了孙志军一眼，他的手跟铁钳似的，目光灼灼盯着她，像是她脸上写满了字似的。他刚从拘留所里出来，不知道多少天没有洗澡了，身上腐败酸臭的气味，几乎呛得她难以呼吸。她把脸别过去，吸了口气，说："放手。"

　　"派出所说冯竞辉愿意调解，而且已经收了医药费，你平常抠门得一个大子儿也不愿花，上哪儿弄的钱给冯竞辉？"

　　"不用你管。"

　　"不用我管？"孙志军冷笑起来，"我管得着你吗？你哪件事让我管过？不知道跟谁喝酒去了，鬼混到半夜才回来，哪个女人像你这样，还有脸叫我不要管！"

　　她怒目而视："孙志军，你放手！"

　　"谁给你的钱把我赎出来？你上哪儿弄的钱？"

　　"我上哪儿弄的钱你管不着！"谈静本来喝了点酒就觉得难受，再被他身上那股臭味一熏，只觉得作呕，别过脸冷冷地说，"你发什么神经？我想尽办法把你从派出所弄出来，难道还是我做得不对？"

　　"你是不是找那姓聂的去了？"

　　谈静拼命挣扎也挣不开他的手，又急又怒："你放开我！"

　　"心虚啦？说中了？姓聂的凭什么给你钱？你拿什么去换的？就跟他喝顿酒？行啊，不用陪睡觉？"

　　谈静听他说得难听，心中更难过，只说："我没拿什么去换，我也没找他。"

　　孙志军咧嘴笑了笑，这笑也是冷笑，他雪白的牙齿在路灯的光线下一闪，像是头狰狞的兽。他语气森森，凑近来，身上的气味更加难闻，谈静只好尽量往后避让，可是胳膊被他抓着，动弹不得。

　　"你起码花了一万多吧？叫你给两万块钱给我，你不肯，等我打了人，你倒有钱赔人家医药费，你哪儿来的钱？"

　　"我借的钱！我借钱把你赎出来难道我还错了？"

　　孙志军仍旧是咄咄逼人的口气："你找谁借的钱？你那群穷

朋友哪有钱借给你？"

谈静被他这么一逼，脱口说了句谎言："我找小王借的钱！她本来打算办嫁妆的，我找她借的钱！"

孙志军愣了一下，不由得放开拽住谈静的那只手。谈静却觉得崩溃了，这几天来她已经受够了，她再也忍不下去了："我到处看人脸色，我到处想办法弄钱，我把自己的脸都丢尽了，去求冯家的人，求他们不要告你！我到医院去被人家赶出来……我给钱人家都不要……我费这么多功夫把你弄出来我究竟为什么啊？你这几年一分钱也不给我，家里样样都要开销，每次下班回来，不是欠了人家赌债就是喝得醉醺醺，孙志军，这种日子我受够了！我凑不齐孩子的医药费，医生说平平活不到十岁，我这辈子已经完了，还眼睁睁看着孩子受这种罪……我什么办法都想尽了……救不了平平的命……我求求你放过我吧，让我和孩子多活两年……"

孙志军停了一会儿，倒像是轻松起来："说得挺可怜的，说来说去，你不就是要离婚？"

"我们现在离不离婚有区别吗？"

"那好。"孙志军冷笑了一声，"你去找姓聂的，拿十万来，我就离婚。"

"这事跟聂宇晟没有关系。"

"谁说这事跟聂宇晟没有关系？"孙志军从兜里摸出皱皱巴巴的香烟盒子，拿了支烟出来点上，一派好整以暇，"你不愿意找他开口，那我去找他好了。"

谈静擦了擦眼泪，说："你不愿意离婚就算了。"

"别啊，话都说到这分上了，咱们索性说开了好了。"孙志军的脸色就像抓到耗子的猫，虽然是一脸的笑意，却看得谈静心里发寒。他说："你不是愁没钱给孩子看病吗？聂宇晟有的是钱，聂宇晟的爸爸就更有钱了，你为什么放着两尊财神爷，就不肯想想办法呢？"

谈静低下头，声音也低下去："你到底想怎么样？"

"我也不想怎么样。谈静，你可记清楚了，是你欠了我，不是我欠了你。"

是你欠了我，不是我欠了你。

直到第二天，这句话仍旧在谈静脑海里，嗡嗡作响。

她已经累了，精疲力竭。孙志军说完这句话，也没有上楼回家，转身就走了。让她惊惶万分，不知道他会到哪里去，会做出什么样的事情。可是她追不上孙军志，等她回过神来，追出小区大门的时候，两侧巷子里仍旧在热热闹闹地吃着大排档，可是孙志军早就走得没影了。

她垂头丧气地回到家中，洗了个澡。出来看到窗台上的那碟豆芽已经长得有一寸来长，明天接了平平回来，他肯定要问，豆芽都长出来了，为什么爸爸还不回来？比起平平的追问，孙志军最后那句半是威胁半是警告的话语，更让她觉得揪心。孙志军那个人做事情根本就不分青红皂白，她真的担心他会闯出什么祸事来。

所以第二天在店里，突然接到医院打来的电话的时候，她简直是心惊胆寒。

对方很随意地确认了一下她的身份："您就是孙平的家长是吧？孙平的病历在我们这里做过登记。"

"是。"

"您当时签署过一份协议，同意如果是因为教学或研究目的，可以对孙平的病历公开讨论。"

"是的。"

这是当初李医生帮她的忙，李医生看她带着孩子可怜，就让她签了这份协议，说教授们讲课的时候，如果引用孙平的病历，就算是会诊了，一般这种病例会给出最权威的治疗方案。她当时想了想，就同意了，连同造影一块儿交给了医院，后来石沉大海没了音讯，她本来也想着这事肯定没下文了，谁知道医院会突然打电话来。

"是这样的，我们医院马上要进行一项新的课题研究，选中孙平作为案例。麻烦您来医院一趟，详细的情况，将由我们课题研究小组的负责人向您解释。"

"谢谢！"她感激不尽，不论如何，这也算是一线曙光，"太谢谢您了。"

"不客气。麻烦您到我们医院的住院部C栋，就是靠近门诊楼的那栋白色新大楼，三十楼心胸外科，到时候您来，直接找聂宇晟医生就可以了。"

谈静呆呆地重复了一遍："聂宇晟医生？"

【柒】

　　"是的，聂医生的办公室就在走廊靠左第二间，如果您找不到，直接问护士站也可以。"

　　过了好几秒，谈静才听到自己沙哑着嗓音问："聂医生是这个项目的负责人？"

　　"我们心胸外科的方主任是项目负责人，不过聂医生会负责前期的一些准备工作。"

　　"我今天在上班……"

　　"没有关系，这样好了，我把聂医生的办公室电话告诉您，您可以打电话咨询一下，直接跟聂医生约时间。"

　　挂上电话，她却没有了给聂宇晟打电话的勇气。在她那样激怒过他之后，她明明知道上次找他要钱，只会彻底地激怒他。她没有脸也没有勇气给聂宇晟打电话，更不要提，去医院见他。

快下班的时候，医院的电话再次打来，连值班经理都看着她，她知道工作时间不让接电话，但是医院打来的电话，谁也不好意思不让她接。她也只好硬着头皮，快快地走过去。

"你好，我是谈静。"

电话那端有短暂的沉默，但是很快，她听到陌生又熟悉的声音："你好，我是聂宇晟。"

她愣了一下，做梦也不会想，会在此时此刻，听到他的声音。听筒在手中攥得出汗，她心虚地想起昨天晚上孙志军丢下的那句话，不由得更加发慌。

可是聂宇晟口气冷漠，完全是公事公办的口吻："下午的时候我的同事给你打过电话，谈到我们有一个新课题，想用孙平作为研究病例。"

她呆了一下，才小声答："是的。"

"我想你也不太想到医院来跟我面谈，所以我会把相关资料发给你，你看完后考虑一下。"

她脑子里一片空白，每次遇到聂宇晟，她永远是这种晕头晕脑的状况，仿佛是缺氧。连同他说话的声音，都仿佛一会儿远，一会儿近，让人听不清楚。她不知道他在说什么，好像是在说着孙平的病，但是她虚弱地想，她宁可一辈子也不跟他讨论这种问题。

"你觉得怎么样？"

她其实漏听了好几句话，所以只能"啊"了一声，完全是懵懂的茫然。

他稍微停顿了一秒，口气似乎更加地厌憎："我刚刚说，你有没有电子邮箱，我会直接发到邮箱里，因为资料非常多。"

"有的。"她听出他根本就不想和自己多说话，其实她也并不想和他多说一句话。她匆忙而仓促地把邮箱告诉他，那是上次写解释信的时候，临时注册的，前缀是"平平"两个字的缩写再加上孙平的生日。

"好的，我会立刻发给你。"

她小声说："谢谢。"

他客气而疏远地说："不用谢，这是我的工作。"

她放下电话走出来，发现值班经理正站在收银台旁边，还有一个顾客等着结账。一下午就接了两次电话，她觉得很心虚，连忙返回工作岗位。心想，邮箱的事还是不用跟值班经理说了，免得他更加觉得自己私事太多。反正那个邮箱他只是说用一用，肯定没有改密码，总公司如果后来有发资料来，他也八成早就告诉总公司的人，换上他自己的邮箱了。即使万一他改了密码，自己再跟他说也不迟。

她知道聂宇晟那个人，虽然很厌恶自己，但是如果是关于工作的事情，一定会办得公私分明。他说了会马上把资料发过来，就会以最快的速度发过来。所以一下班她连饭都没吃，就直接去了网吧。租了一台电脑，就打开邮箱。

密码错误，没想到值班经理竟然把密码改了。她愣了一会儿，在打电话给聂宇晟告诉他必须得换个邮箱，还是打电话给经理问他新的密码，这两个选择之间犹豫了一会儿。

打电话给聂宇晟请他重新再发一遍，她简直没有那个勇气，在拿了聂宇晟三万块钱之后，本来抱着一种破罐子破摔的心态，可是自从孙志军那句警告之后，她本能地觉得，离聂宇晟越远越好，最好是没有任何瓜葛。即使做不到，仍旧万般不情愿主动打电话给他。

打电话给经理她也是非常不情愿的，值班经理明天就要去总公司报到了，最近他对自己似乎有很多不满。下班之后再为一点小事打扰他，他肯定也不会高兴。他去总公司之后，会有内部的专用邮箱，这个邮箱是自己注册的，他也应该不会再用得上了。想到这里，她就直接用了找回密码。

密码找回得很顺利，她重新设了新的密码，打开邮箱看到有两封新邮件，一个标题很简单，是"手术相关资料"，一看就知道是聂宇晟发来的。另一封邮件的标题却是英文，她原以为是广告，但看到发件人的邮箱后缀是公司缩写，这明明是公司的内部邮件，想必是发给值班经理的。她本来不打算偷看公司给经理的邮件，正打算关掉页面，突然眼角瞄到那封邮件里有个单词是"TANJING"，正是自己名字的缩写。她愣了一下，看看那封邮件，标题竟然是关于建议辞退TANJING邮件回复。

她傻了一会儿，既然写着她的名字，不由自主就点开了邮件，邮件全部是英文，写邮件的人英文非常流利，虽然只有短短几行，谈静仍旧看得惊心动魄。在这封邮件的下面，附的是一封中文电邮，落款是值班经理的名字。值班经理建议区域督导辞退谈静，并说明为什么绕开店长的原因是因为店长祖护谈静，并且列举了谈静迟到早退挪用公款等等原因。关于挪用公款的款项，正是她那次替梁元安付的生日蛋糕的钱，但对于梁元安那件事的详细情况，包括梁元安王雨玲已经主动辞职，值班经理却在邮件中只字不提。

谈静眼前一阵阵发花，心想自己根本没有得罪过值班经理，为什么他要在背后下这样的狠手。不仅夸大事实，还把店长的处理说成是袒护。

她想到值班经理最近对自己种种态度的转变，更是满腹疑惑。她机械地移动鼠标，下面还有好几封邮件，发件人后缀都看得出是公司邮箱，但并不是区域督导。到了这个地步，她也顾不上其他，一心只想找出答案。把邮件打开来看，却都是一个名叫"盛方庭"的人发给值班经理的，一封是要求他将一封公司的内部邮件翻译成英文，还有一封是说明他的职位将由他的英文水准来决定，并且称赞值班经理上次写的解释信非常不错。

谈静看到那个盛方庭每封邮件下面附的职位和联络方式，正是总公司的企划部总监。谈静虽然人非常内向本分，但是并不傻。把前因后果联起来想一想，顿时明白了值班经理为什么看自己不顺眼，甚至在调离之前还要想尽办法辞退自己。原来这个职位本来就不该他得到，他现在要调到总公司去了，肯定是非常心虚，怕她把事情真相说出来，所以不惜背后用阴谋，也要把她开除。

谈静心里憋屈得厉害，心想自己原本是为了帮忙，替值班经理翻译了那封解释信，没想到他竟然这样恩将仇报，还一心要开除自己。她并没有想太多，立刻就给那位盛方庭写了一封英文邮件，详细说明了前因后果，请求对方替自己向区域督导解释，保留自己的工作，她写完之后就点了发送，心想那位盛方庭既然是总监级别，肯定会明辨是非，还自己一个清白。

她发完邮件之后，又把聂宇晟发来的邮件打开来细看，里面全部是非常学术和专业的内容，列出了手术的条件和风险，她首先看到由医疗器材公司补贴一定比例的医药费手术费，心中就是一喜，再往后看，聂宇晟列出了与传统手术方案相比的各种风险，等看完那些附件，她终于明白，原来医疗公司的补贴，就是因为这种方案不成熟，风险太大了。

她心里非常难过，她知道凭着自己目前的工资和收入，是没办法凑齐孙平的手术费的。每次去医院，医生总是建议尽快手术，有时候孙平稍微活动猛烈一些，就会因为缺氧窒息，总是喘不过来气，连嘴唇都紫得发乌，她心中更是像刀子割一样，知道这件事没办法继续拖下去，再拖下去，孩子就真的没得救了。可是如果接受这个补贴，那么这样的风险，却是自己不敢去想像不敢去承担的。

她有点发愣地看着显示器上的资料，身后左右的人都在玩游戏，有人戴着耳机摇头晃脑，有人飞快地敲着键盘，还有人一手点着烟，一手拖拽着鼠标……网吧里空气非常不好，因为开了空调，所以更不透气。烟味汗味脚臭味，什么味道都有，谈静一手撑住了额头，只觉得太阳穴突突地跳着，这样艰难的抉择，让她如何能够轻易地决定？

显示器上有个小图标在一晃一晃，她怔了半晌，才发现原来是有新邮件的提示，她刷新了一下收件箱，竟然是盛方庭发来的邮件回复，仍旧是英文内容，他说他对这件事感到十分意外和震惊，所以他希望立刻当面了解详细的情况，并且说自己正在公司加班，希望谈静可以马上到他的办公室。

谈静想了想，自己发邮件给这位总监，是显得有点突兀，但整件事她是清白的，倒是不怕什么，于是回复说自己会尽快赶去他的办公室。

谈静从来没有去过总公司，按地址找到才发现是幢很气派的写字楼，她在大堂前台那里借了电话打给盛方庭，他马上说："已经过了下班时间，进电梯需要刷卡，我马上下来接你。"

谈静本来十分忐忑，但听他的声音非常温和，想必是个很宽容和气的人，不知不觉就松了口气似的。

盛方庭从电梯出来的时候，一眼就看到了谈静。

因为她正好站在大堂水幕墙的前面，水幕顶上本来有一排射灯，所以光线将她的侧影，勾勒得清清楚楚。她半低着头，似乎在想着什么心事，神色略显拘谨。射灯的光线透过水幕，朦胧地泛着一层潋滟的流光，虚虚地笼在她的身上，倒像是烛光似的。她穿着一件白色的连衣裙，裙子是棉质，一看就知道并不是什么好牌子，洗得毛毛的，样子有点像旧式的旗袍。并不是什么时髦的衣服，样式甚至有点土气，但她气质温润，这样的不时髦的衣服穿在身上，有一种特别的妥帖。就像她的人一样，虽然并不是那种令人倒吸一口凉气的美人，可是侧影如玉。不曾烫染过的头发梳得很整齐，被灯这么一映，真像画中一帧落落的剪影。

盛方庭在国外二十多年，是所谓的ABC，被派回中国来工作，觉得中国跟所有发达国家，并无什么不同，一样的高楼如林，一样的车水马龙，一样的现代化城市，连工作中接触的人，也皆是长袖善舞、八面玲珑。外公总是感叹，中国的姑娘不是这样子的。他的外公雅擅丹青，尤其擅长画仕女图，那些图中的美人，总令他觉得不可思议，假的就是假的，哪里有那种衣袂飘飘似的女子，回到国内后，也觉得外公对所谓中国美人的遐想只是遐想罢了。可是今天看到谈静，他终于觉得心里像漏跳了一拍似的，没想到真的有这样的娴雅佳人，倒是十分有想像中的故国风致。

他觉得自己有点失态，所以咳嗽了一声，朝着谈静走过去。谈静听到他咳嗽，于是抬起头来。他已经走近了，自我介绍说："你好，我是盛方庭。"说着便礼貌地向谈静伸出手。

谈静连忙与他握手，有点仓促地说："你好，我是谈静。"

他只觉得她手指微凉，就像曾经吃过的北京酥糖一样，不敢多握，只轻轻用了力就松开："我们上去谈吧。"

谈静曾经猜测这位盛方庭就是上次来巡店的人，但是上次他去店里的时候，自己也不曾仔细留意，模糊印象就是记得这个人的普通话，稍微带着些南方口音，今天见了面，只觉得人非常有礼貌，自己心里的那些忐忑不安，却渐渐消失了。

进电梯后盛方庭刷了胸卡，然后按了楼层。因为电梯里就只他们两个人，所以他觉得有点尴尬，找了句话问她："来过公司吗？"

谈静说："没有。"

这么一问一答，盛方庭又觉得自己这个问题问得不太妥当，心里只在暗暗懊恼。他是MBA出身，曾经在跨国企业工作过，各种各样的阵仗也皆见识过。后来被派往上海，协助主持过全球大区总裁级别的会议，形形色色的大人物见得多了，种种场面也不是应付不下来，可是也不知道为什么，对着谈静总觉得有点不安，似乎跟她说话，需要格外地小心似的。

公司里还有几个人在加班，这让谈静更觉得放心了，盛方庭带着她穿过开放式的大办公室，因为她刚才在电梯里说没有来过公司，于是向她介绍："这是我们企划部的办公室，大部分同事都在这边办公。"

谈静不知道怎么样回答，只好"噢"了一声。盛方庭作为总监，有着一间独立的办公室，灯火通明，明显刚刚他还在这里加班，因为连桌上的笔记本电脑都没有关。他很客气地请谈静坐下，然后还替她倒了一杯水。

谈静本来不紧张了，但是进了他的办公室之后，突然又觉得有点紧张了。好在盛方庭这个人很和气，跟人相处总是恰到好处，让人觉得如沐春风。他说："大致的情况我已经从邮件里看到了，你的英文很不错，只错了一个单词。"

谈静不由觉得脸红，写邮件的时候她一腔气愤，所以最后只草草检查了一遍就发了出去，没想到拼错了一个单词。

盛方庭说："不要紧，我已经基本了解整件事情，但是有些细节还需要向你确认一下。"

谈静到这里来，本来就觉得是背水一战了，现在这位经理要问什么，倒是老老实实一五一十地回答好了。盛方庭问得最详细的是梁元安那件事情，谈静于是向他解释了前后过程，他似乎十分好奇："那么你最开始为什么要承认是自己忘收了钱呢？"

谈静想了想，告诉他："因为责任。"

"责任？"

"是的，本来是因为我过生日，梁元安才想送我这个蛋糕，如果我不出来负责，梁元安就会失业，他失业比我严重得多。您也知道，在业内有一个黑名单，如果他被开除，其他蛋糕店不会再聘用他为裱花师。"

"为什么你要牺牲自己去帮助他呢？明明是他犯了错。"

"因为他是我的朋友，他在很困难的时候帮助过我。"

盛方庭笑了笑，说："其实这是职场大忌。第一，你把不应该承担的责任包揽到自己身上；第二，友情不是用来挑战规则的，不然善良的人全都死了一万遍了。"

"对不起，这件事情我确实做得欠妥当，所以后来梁元安把真相说出来的时候，店长也批评了我。"谈静很老实地承认错误，"以后我会以此为戒。"

盛方庭却岔开了话题："我这里有封信，是中文的，能替我翻译一下吗？"

谈静犹豫了一下，说："那我试试吧。"

盛方庭说："可以用我的电脑。"然后把位置让出来。

谈静还没有用过这样的笔记本，原来聂宇晟有一个笔记本电脑，但是现在的笔记本又轻又薄，触控板更是灵敏好用。她短短几分钟就上手了，开始翻译。有个别专业词句拿不准，上网搜索确认一下。她本来做事情就利索，那封邮件又不长，所以盛方庭一杯咖啡喝完，她也做完了翻译。

"嗯，很不错，谈小姐，谢谢你。"

"不客气。"谈静说，"我只是希望您向我们的区域督导解释一下，我很珍惜这份工作，并不想失去它。"

"我会跟HR的同事沟通——"他说，"就是人力资源部的同事。"

"谢谢您。"

"你的英文水准，做一个收银员实在是大材小用，而且为什么你会选择做收银员？我觉得你完全可以选择一个更能够发挥你能力的职业。"

谈静低下头："我没有大学毕业证。"

"哦？那你英文全是自学？"

"不是，我考上外国语学院英文系，念到大三……后来……后来出了意外我辍学了，没有拿到大学文凭。"

盛方庭有点费解："那为什么不选择一个好点的工作呢？收银员太埋没你的专长了。"

"没有毕业证，您也知道，比如我们公司，即使招聘最普通的行政助理，也要求本科及以上学历。"

盛方庭点点头，说："我明白了。"

谈静勉强笑了笑："谢谢您给我解释的机会，如果能保留我的工作，我会非常感激。"

她想刚才让自己翻译信件，可能是想确认一下那两封解释信是否出自自己之手，这也是他办事缜密的地方，这样的人如果肯替自己解释并沟通，肯定会起到良好的作用。

他只是说："我会尽力。"

谈静却非常相信他，他说尽力就一定会尽力。对区域督导而言，一位总公司经理级的管理者出来说话，自然是有分量的，她不由得松了口气，看来自己这份工作是保住了。

当初生日蛋糕的事刚刚闹出来，她脑门一热就不管不顾地将责任包揽下来，事后想到没有工作没有收入的种种苦处，不是不后怕的。尤其孙平的病，还需要自己一点点去攒钱，她实在不应该丢了工作。所以看到值班经理的邮件之后，她特别地生气也特别地害怕，被人冤枉被人陷害的滋味实在是太不好受了，虽然在公司高层眼里，她只是个微不足道的小人物，但是她不愿意受这种欺负。

送走谈静之后，盛方庭返回自己的办公室，加班的工作已经做得差不多了，他思考着谈静刚才的话，她坐在那里，斯斯文文，声音不高不低，但每个字都那样清楚。尤其在维护自己权益的时候，她有一种不卑不亢的腔调，这种风骨其实是很难得的，如果换了一个人，也许就对值班经理落井下石了，但她并没有提到任何要求，除了恳请他向区域督导解释自己的清白。

他单肘搁在另一只手的手肘上，用指关节摩挲着自己的下巴，每次他遇上什么问题的时候，他总是下意识有这样的动作。但今天他只犹豫了一会儿，就发了一封电邮给公司的HR经理舒琴，约她明天中午的时候一起吃午饭。他在邮件中客气地写道，自己有些事情，想要跟她沟通一下。

舒琴看到这封邮件的时候，已经是第二天早上九点多。她习惯了下班后就不再看邮箱，尤其是工作邮箱。每天在办公室里，人的神经绷得紧紧的，所有工作她都尽量在办公室处理完，哪怕加班，也不愿意带回家去做。幸好涉及到人力资源的事情，通常都并不是什么十万火急，一般来讲，即使她一晚上不回邮件，也不会出什么天塌下来的大事。

所以早上她看到盛方庭的邮件之后，只想了想盛方庭为什么约自己吃饭，这是一种很出人意料的举动，平常在公司的时候，盛方庭从来不私下跟她有任何接触。舒琴心想，不会是替他新招的助理出了什么乱子吧？

他们上班的写字楼位于著名的商圈附近，周围有不少吃饭的餐厅。盛方庭约她去一间台湾餐厅，舒琴觉得他可能是真的要谈工作，因为那间餐厅平常公司的一些同事也常常去，既然不忌讳被人看到，说明确实是公事。

两个人边吃边聊，都是说的些闲话。舒琴平常总是避免跟盛方庭打交道，毕竟他所管的是公司最关键的部门之一，特别引人注目。但是今天两个人这样吃饭，还真是难得的机会，她觉得自己都有点管不住自己了，虽然周围没有熟悉的同事，但他们仍旧没有说任何除了公事之外的话题。

盛方庭跟她聊了一会儿，就很公事公办地说："舒经理，我有一件事情，想要请你帮忙。"

舒琴早就知道他不会轻易约自己吃饭，这倒是意料之中，于是她笑着说："大家都是同事，如果帮得上忙，我一定会尽力。"

"上次想要把门店值班经理调来做助理的事情，十分感谢你，甚至没有问我为什么，就同意了这样的申请。但是后来我发现，原来这个值班经理，并不是我想要找的人。"盛方庭仍旧是说公事的语气，他把谈静的事情简单地讲述了一下，说，"我希望把谈静调来这个职位。最大的问题是，她没有大学毕业证。"

舒琴想了想，说："你也知道，企划部是公司很重要的部门，如果招一个人来，连本科文凭都没有，那么负责人力资源的邹总那里，我很难交代得过去。虽然邹总他可能不会过问这种小事，但公司人多嘴杂，难免会走漏风声。如果传到邹总耳朵里去，我怕事情会走样。"

她这是在提醒他，即使她帮着他瞒天过海，但是不定谁会到老总面前多嘴，到时候事情一旦露馅，后患无穷。

"所以我想请你帮忙。"盛方庭说，"这个人能力没有问题，缺少的就是一个毕业证。邹总如果问起，我会向他解释，正因为公司人多嘴杂，所以我希望在流程上，你能够帮个忙。"

他话说得很委婉，舒琴明白他的意思就是自己睁一只眼闭一只眼，让他把这个人招去当助理，而且最好不要太细究这个人的履历，毕竟把一个店员调到助理岗位是件太出格的事情，何况这个店员还没有本科文凭。虽然他会在老总面前一力承担，但是舒琴禁不住好奇，想到底是什么样一个人，能让盛方庭这样大费周章。企划部是要害部门，盛方庭当然需要安插自己的亲信，但犯不着为了安插一个亲信，把这么多把柄递到明里暗里的敌人手中。他已经是职场老手了，这道理想必深知。

不过他既然提出这样的请求，她当然必须得全力以赴。

"当然可以。只要邹总那里不会有问题，我这里当然也不会有问题。"

盛方庭很客气地说："谢谢！"

舒琴目光一闪，没有再说任何话。

在回去的路上，她才发了一条短信，问盛方庭："为什么要大费周折把这个人调到公司来。"

过了许久她才接到盛方庭的回复，只有四个字："工作需要。"

舒琴觉得非常气恼，伸手按了删除键。

但是盛方庭做任何事情都是有意义的，他的每一个步骤几乎都经过精心考虑，她除了配合，几乎没有其他选择。舒琴在回公司的路上就已经想好了办法，把这个人当作外部招聘，直接通知谈静来面试，走个过场就行了。

谈静倒还没有想到会有这样的好运气降临到自己身上，她只是在纠结孙平手术的事情。聂宇晟将各种风险列得清清楚楚，正因为太清楚，所以她每看一遍，都觉得心惊肉跳。不知道自己拿一个主意，到底是能够救孩子，还是会害了孩子。

她越看越觉得难以决定，最后终于下了决心，给聂宇晟打一个电话，有些太专业的问题她实在看不懂，这样重要的事情，她不能不想办法弄懂每个细节。虽然聂宇晟可怕，可是作为一个母亲，她不能不明不白地放弃任何一个给孩子治病的机会，哪怕聂宇晟是洪水猛兽，她也不能不打这个电话。她站在街边的公用电话亭，手心里直冒汗，就像第一次打电话给聂宇晟。

那时候她刚刚才升到十四中的高中部，他已经念大一了。在很长一段时间里，他们的主要联络方式都是通信。因为聂宇晟也是十四中毕业的，而且品学兼优，谈家妈妈倒是挺乐意女儿向这样一个榜样学习。他们在信中谈的都是学习，他写信来，用英文，告诉她一些大学里的事，鼓励她好好学习，考上重点大学。她写信去，也用英文，他会把她错误的单词或语法改正，因为她想考外语学院，而当年他高考，外语拿到了满分。她从高中开始住校，学校管得非常严，寝室里也没有装电话。那时候手机并不普遍，只有家庭条件非常好的女生，才会有手机那么奢侈的东西，谈静自然是没有的，所以聂宇晟给她写信。

寄宿高中的生活那样寂寞，有人跟陌生人做笔友，所以每个人的信件都非常非常多。生活老师总是隔阵子给他们拿来一大叠，如果有重要的考试的话，那么就会有很长时间收不到信，因为信件全都被生活老师压下来了。

在期末考试之前她拿到的最后一封信中，他破例写了句中文："给我打电话！！！"他竟然用了三个感叹号，后面写着他新买的手机号码。那三个感叹号似乎让她猜到了一点儿什么，让她心里怦怦直跳。

考完期末考试的那天学校就放假了，她顾不上回家，而是在街头找了个公用电话，打给聂宇晟。在拨出那个号码之前，她手心里全都是汗，也不知道在害怕或者担心什么。可是那个时候，除了问功课之外，她从来没有毫无缘由地给任何一个男生打过电话，哪怕这个人是聂宇晟。

聂宇晟接到她的电话高兴极了，问："你们今天就放假了吗？"

"明天还要补课。"她小声地说，"我就是想问问你，让我给你打电话，有什么事没有？"

聂宇晟似乎顿了一下，最后说："也没什么事——就是想约你看电影。"

她站在街头，顿时脸都红了。

她直到今日还记得那个黄昏，自己背着书包，提着一袋换洗的衣物，身上是学校发的面口袋似的校服。为了怕同学看见，她特意找了另一条街的公用电话。看电话的大妈坐在不远处守着报摊，来来往往的人，就从她身边走过去。一切都和往日没什么不一样，可是一切和平常又都不一样了。远方是绚丽的晚霞，像是一幕紫红的轻纱，衬着城市的高楼大厦和浑圆的落日。

那天的霞光真美，她这一生也没有看过，比那更美的晚霞。挂上电话之后，她的心还是扑扑地跳，因为答应陪聂宇晟去看电影。

她非常大胆地装病翘掉一堂自习，就为了跟聂宇晟去看电影。在那个时候，谁都知道一个男生和一个女生单独去看电影，象征着什么。她一直怕遇上熟人，幸好没有。聂宇晟带她去看的是一部很老的香港片子，那时候电影院并不景气，整个影院永远都只有稀稀落落几个观众，大部分都是情侣，因为方便在黑暗的影院中偎依在一起。而她很拘谨地端坐在那里，认真把电影从头看到尾，就像聂宇晟根本没有坐在她身边。

从初中开始，师长们都千叮万嘱，说不要早恋。升了高中，学校里还是有人偷偷摸摸地谈恋爱，所谓谈恋爱，也就是避着老师，两个人悄悄去看场电影什么的，就算确定了特殊的关系。她是规矩惯了的好学生，做梦也没想到自己会做出这样出格的事情，可是当聂宇晟问她愿不愿意跟他一起去看电影时，她脱口就答应了。

电影放字幕的时候，灯还没亮，她惦着要赶紧回家去，免得妈妈生疑，所以就站起来要走，聂宇晟也知道她是怕误了回家的时间，所以跟着她站起来。电影院里很黑，她摸索着寻找台阶往太平门走，他忽然伸出手来，牵住她的手。

那是他第一次牵她的手。在看电影的整个过程中，他甚至都没有跟她说过一句话，在牵住她手的时候，他突然说："谈静，我的手机号码最后四位是0707，你懂吗？"

她像蚊子一样嘤嘤地答："是你的生日……"他的生日是七月七日，跟她的生日是同一天而不同岁，只是她不好意思往别的意思上想。

他低声说："也是你的生日。"

电影里那首歌还在唱着，他牵着她的手，顺着台阶，一步步地往下走。他的掌心温暖干净，她心跳得几乎都要从胸腔里跳出来，耳朵发烫，磕磕绊绊地走着。电影院不知道为什么有那么多台阶，可是幸好有那么多台阶，如果是平地，没准她就头也不回地逃掉了。

直到很多很多年后，她想到他握住自己手指的那一刹那，仍旧会觉得既甜蜜又伤感。电影片尾曲是首轻曼的歌谣，一个女人用很好听的声音唱着："曾经欢天喜地，以为就这样过一辈子。走过千山万水，回去却已来不及。曾经惺惺相惜，以为一生总有一知己。不争朝夕，不弃不离，原来只有我自己。纵然天高地厚，容不下我们的距离，纵然说过我不在乎，却又不肯放弃。得到一切，失去一些，也在所不惜。失去你，却失去，面对孤独的勇气……"

那时候她完全没听清电影里是在唱着什么，也不知道这首歌的演唱者后来大红大紫，成为天后。更没有想过，原来真的只有她自己。

【捌】

　　谈静狠了狠心，一口气把电话号码拨出去，似乎担心只要自己稍微犹豫一下，这个电话她就再没有勇气打出。

　　聂宇晟的手机号是已关机，她倒像松了口气，不过手里捏的那张纸上，还记着聂宇晟的办公室电话，反正连手机都打过了，不如连同办公室的电话，也打一次好了。

　　是个陌生人接的电话，听她说找聂医生，十分干脆地说："你等一下。"然后她听到电话里那人在说，"聂医生，是找你的。"

　　心跳又怦怦地快起来，她有点像等待宣判的罪犯，只怕听见他的声音。

"你好，聂宇晟。"

公用电话上的计时器一直在跳字，她也不能总拖延着一声不吭，只好说："聂医生，我是病人孙平的家长。"

这样疏远、这样客气的一个词，才能让他们的交谈，心平气和一些吧。

她一口气说下去："您发来的资料我看过了，可是有很多地方我不太懂，我想问一下，是不是方便到医院，咨询一下？"

他似乎在翻阅什么东西，沙沙作响，回答得心不在焉："你要到医院来？"

"是的。"她下意识地挺直了脊梁，为了孩子，刀山火海她也愿意去一趟，何况只是面对一个聂宇晟。

"我这两天没时间，全部排满了手术，你下周一来吧，下午四点，心外科病房。"

"谢谢您！"

他稍微顿了一下，才说："不客气。"

把电话挂上，聂宇晟有点急躁地把病历撂在了一旁，坐在他对面的李医生看了他一眼，问："怎么啦？"

"没什么。"

他深深呼了口气，原本打算谈静看到手术风险后就知难而退，不同意这个手术方案，没想到她反而更进了一步，要求和他面谈。作为病人家长，这要求当然是合情合理的，他是医生，有责任有义务向她解释清楚方案的细节。可是谈静，他实在不想再见到这个女人。

谈静听到聂宇晟答应可以面谈，心里也是七上八下的，比打电话更让她觉得难应付的，就是见到聂宇晟本人。她是真正地怕了，尤其在医院第一次遇到聂宇晟的时候，他那种轻蔑厌憎的语气，至今仍让她记忆犹新。可是事情到了这个地步，就为了孩子的病，哪怕他再当面羞辱她，她也打算忍过去。

谈静打完电话就去上班，同事交给她一个纸条，说："有人找过你。"

纸条上写着一个电话号码，值班经理今天不知道为什么没有去总公司报到，反而一直在店里。谈静看到值班经理狠狠盯着自己，心里不由一阵发虚，心想难道自己跟盛经理说的事，真的有了结果？不过值班经理如果去不成总公司，肯定会找各种理由来辞退自己。她一边担心一边接过纸条，就去换衣服，等换了衣服出来，值班经理说："每天不是派出所打电话来，就是医院打电话来，你把店里的工作电话当成什么？公用电话？这又是谁打电话来找你？"

谈静老老实实地答："我不知道。"

值班经理狠狠盯了她一眼，转身走了。谈静刚跟上午班的收银员办完交接，又有店员叫："谈静，电话，就是上午找你的那个人。"

值班经理怒气冲冲地说："不准接！挂了！"

店里所有人看他大发雷霆，都不敢吱声，谈静把围裙解下来，说："经理，今天下午算我请假，你可以扣我的工资，这电话我可以接吗？"

"扣你工资就可以接电话？"值班经理冷笑，"出去用公用电话！"

谈静走到街口，掏出那张小纸条，找了个公用电话打回去。总机的声音非常甜美："欢迎致电圣美食品饮料有限公司，请拨分机号。"

圣美？谈静怔了一下，这是总公司的名称，她把分机号拨了，电话很快有人接。听说她是谈静，立刻答道："谈小姐你好，是的，我刚刚给你打过电话。"

"是有什么事吗？"

"是这样的，我负责通知您，明天下午三点，请到人力资源部来面试。"

"面试？"

"是的，盛方庭经理推荐您到企划部行政助理这个职位，所以需要面试。"

谈静简直想不到这样的好运气会降临到自己身上，人力资源部的人却明显不愿意跟她多说什么，只提醒她准时去面试。挂上电话之后，谈静第一个念头是，总公司的职位薪水会高很多，自己可以攒钱给平平治病了。

她回到店里，查了一下第二天的排班，正好是下午班，于是去跟值班经理要求调班。值班经理本来就没好气，听到她要求调班，更是绷着脸不答应，说："整个店里就你事多，不是要去医院，就是要去派出所，成天要求换班，谁那么有工夫跟你换？"

"我前天上了连班，按规定是可以换班休息的。"

"那也不行。"值班经理冷笑，"你这个月请了三次事假了，要换班，除非你不干了。"

谈静看他这样蛮不讲理，不由得也生气起来，说："虽然我只是收银，但公司有规定，你也无权辞退我。你想逼着我辞职，我偏不。"她走过去就给店长打电话，店长倒是很快答应了，她很技巧地没有提值班经理不让自己换班的事，只说，"要不您跟庞经理打个招呼？"

"好，你叫他来接电话。"

谈静把听筒搁到一边，叫值班经理听电话，值班经理没想到她会打给店长，无可奈何，听完电话出来，只是狠狠瞪了谈静一眼。谈静没吭声，低头忙着自己的工作。

下班的时候在更衣室，几个女孩子都七嘴八舌地劝她："何必要跟庞经理过不去，他是值班经理，给你小鞋穿，就吃不了兜着走。""是啊，店长毕竟来店里的时候少，一般的事都是值班经理说了算，你把他得罪了，将来怎么办？""王雨玲走了，梁元安也走了，你一个人哪斗得过庞经理……"

那些女孩子都是好心，唧唧喳喳的，说个不停。谈静只是闷不做声，她并不是因为可以调到总公司去才做这样的反击，毕竟还没有面试，哪里来的百分之百把握？她只是忍无可忍，这个庞经理把功劳占为己有倒也罢了，还赶尽杀绝，一再想辞退她，处处都找碴，再好的脾气，她也忍不住了。就算自己聘不上那个行政助理，她也打算辞职了。

幸好她担心的事情并没有发生，面试的过程非常顺利，面试她的是人力资源的总监，姓舒。看上去精明能干，人却非常和气，问了她几个问题，让她用电脑打了封英文信，就算合格了。

"好的，明天你就可以来上班，我会通知行政部给你做胸卡，明天早上九点你直接来人力资源部报到就可以了。门店那边，我希望你简单化处理，直接辞职，这样会减少一些不必要的麻烦。"

谈静没想到这么简单，连声道谢。她笑起来眉眼弯弯，这才有点像是档案上真实的年龄。舒琴不动声色地想，一个已婚二十六岁的女人，丈夫是某公司的仓库叉车工，还有一个六岁的儿子，怎么看怎么都是一个普通的打工妹。除了在门店工作了六年没有跳槽，除了英文水准稍好，实在看不出有什么特别。

盛方庭大费周折非要把这个人弄去企划部当助理，到底是什么目的呢？谈静长得倒还挺漂亮，虽然生活的磨砺让她看上去不像二十六岁，可是仍旧可以看出当年是个美人胚子，只要养尊处优几年，稍微打扮一下，肯定是个赏心悦目的美女——难道盛方庭竟然会看上她？

那是绝对不可能的，她在心底否决掉了。

舒琴把谈静的资料交给助理，吩咐她拿去备案，然后自己给盛方庭打了个电话，告诉他谈静的事已经办妥了。

谈静回去的公交车上，是很兴奋的，在来之前，她一直对自己说，不要报太大的希望，毕竟总公司的职位，要求都非常高。她习惯了失望，所以每次遇上任何事，总是让自己把期望降到最低，这样的话，等到失望的时候就不会太难受。

可是没想到事情会这么简单又这么顺利，那个舒经理人非常和气，临走时还问她："在档案里你怎么没有手机号？"

她有点不好意思地说自己没有手机，舒经理就说："还是去买一个吧，助理工作非常忙，手机是必需的通讯工具，而且你的职位，每个月有两百元的通讯补贴。"

上次她来总公司的时候，就觉得这里华丽神圣得像一个殿堂，出入的男男女女，都是那样衣冠楚楚，彬彬有礼，没想到自己竟然也要成为其中的一员了，而且最最重要的是，舒经理告诉她，企划部是非常重要的战略部门，她可以学到很多东西。

在给盛方庭写信的时候，她想到的也只是一个据理力争，不愿意让自己受欺负。而争出来这么一个结果，真是让她非常高兴。不过她也没有乐昏头，首先去店里辞职，大家都知道她昨天刚跟值班经理吵了一架，所以也算歪打正着，只有店长听说她不干了，还有点惋惜。告别了同事们，她把活期存折里一千多块钱全都取出来，跑到营业厅去，先花了几百块钱买了一个手机，这个价位的手机当然不会太好，可是能用就行了。拿到新手机她第一个打给王雨玲，谁知道王雨玲劈头就说："我们门面已经找着了你们不要再打电话来了。"

"是我呀，谈静。"

"哎呀谈静！我还以为又是那些中介。"

"我买手机了，这是我的手机号。"

"哎哟，你终于买手机了，你说这世上还有谁连手机都没有啊！你可算是想明白了！"

谈静笑嘻嘻地问："你们门面已经找着了？在哪儿呢？"

"还没有呢，别提了，你今天上上午班？"

"不是，我辞职了。"

"啊？"

"我找了份好工作！"

"什么工作啊？"

"行政助理，试用期都四千五呢！"

"哎哟，谈静你可算是熬出头了！快点来，咱们去庆祝庆祝！"

谈静因为平常总是受她的接济照顾，所以一口就答应了："这次我请客！请你和梁元安！"

谁知王雨玲叹了口气："别提那姓梁的了，扫兴！"

"怎么啦？"

"来了我再跟你说。你快去接平平，咱们一块儿出去吃点好吃的。"

谈静去接了孙平，这次她特意买了一大包零食，给陈婆婆的孙女玫玫。陈婆婆死活不肯收："又花钱！太破费了！"

"没事，婆婆，我换了个工作，都是上白班，从早上九点到晚上五点，以后只怕得天天麻烦您，不过以后有双休了，双休我可以把平平接回去，您也可以歇一歇。"

"哎呀，朝九晚五！"玫玫在一边插嘴，"谈阿姨你是上班族呀！"

"是啊，朝九晚五，这小机灵鬼！"谈静忍不住捏了捏玫玫的脸蛋，"啥都知道。"

"我是看电视里说的，说白领都是朝九晚五，谈阿姨你是白领了呀！"

"我妈妈的领子是紫色的。"孙平指着谈静的连衣裙，忽闪着大眼睛，不解地问，"玫玫姐，你为什么说是白色的呀？"

一时大家都笑起来，孙婆婆说："听你这么一说，肯定是份好工作。"

"嗯！"谈静在路上就盘算好了，"也说不定得加班，要是我来不及接平平，还得麻烦您照顾他。我每个月给您八百……"

"不要不要！"陈婆婆头摇得像拨浪鼓，"比以前时间少，怎么还能要你加钱？再说平平这孩子太乖了，最让人省心不过，天天在这里，也是给我解闷。收你的钱，我已经挺不好意思了，再加我可翻脸了！"

谈静再三解释，仍旧没能说服陈婆婆，最后老人气鼓鼓的，谈静也只好不提加钱的事了。好说歹说让老人收下给玫玫的零食，把自己的新手机号也写给陈婆婆，然后才抱着平平告辞。

在路上，平平忍不住问："妈妈，你真的换工作了？"

"嗯！"

"那真的可以都只白天上班？"

"对！"

"那晚上都可以把我接回家？"

"是啊！"

平平欢呼了一声，然后问："妈妈你买手机了？能不能把手机给我看看？"

"好。"谈静从包里拿出新手机，孙平小心地捧在手里，仔细地看了半晌，然后咧嘴笑了："妈妈，以后我有事，可以给你打电话了？"

"对！以后有事，可以给妈妈打电话了！"谈静搂着他，说，"妈妈涨工资了，等妈妈攒够了钱，就可以给平平治病了！"

"病好了我就可以去上学了。"

"病好了平平就可以去上学了！"谈静在儿子脸上亲了一下。日子，终于快熬出头了。

王雨玲站在楼下等他们，看到他们娘儿俩，笑嘻嘻地走上来，先把孙平接过去抱着，问谈静："咱们上哪儿吃去？"

"梁元安呢？"谈静问，"你跟他吵架了？"

王雨玲本来就憋着一肚子火气，忍不住叽里呱啦，竹筒倒豆子似的全倒出来给谈静听。原来这阵子她和梁元安都忙着找合适的门店，不过看来看去，好一点的门店都贵，而便宜的门店，都太偏僻。

"你说蛋糕店，当然要开在人流量大的地方，不然谁来买你的蛋糕啊！可是梁元安那个人，总是嫌租金太贵，你说不贵的地方，冷清得鸟不生蛋，哪有人来买？我就说，咱们先借点钱，把门店的租金给付了，其他的再慢慢想办法。他就翻脸说没处借钱，怕我让他问家里要钱。"

说来说去，原来是为了这事闹翻的。王雨玲一肚子委屈："我出来打工这么多年，就攒了四万多块钱，我都全拿出来了，他倒好，手头一共才一万多块钱，去年他回家的时候，给了三万给家里，前年据说也给了两万，现在都火烧眉毛了，他还不肯问家里要。如果再找不到门店，一拖这夏天就过去了，还要装修，等这蛋糕店开起来，早就过了春节那旺季了。谈静，他这个人真不是能同甘共苦的，一点责任也不肯担。"

谈静温言细语地安慰她："事情也没你想得那么坏，再说去年他妹妹刚刚结婚，或许钱都花完了也不一定，你逼着他借钱，也不是回事。这样，我们先把他叫出来吃饭，大家吃饭的时候，想想办法。"

"我才不给他打电话，要打你打。"

"好，我打。"

王雨玲又白了她一眼："买了新手机，显摆！"

谈静知道她恼羞成怒，也不跟她计较，只是笑着给梁元安打电话，叫他出来吃饭。

梁元安本来也在出租屋里生闷气，接到谈静的电话，就赶过来了。王雨玲见了他仍旧是气鼓鼓的，倒是谈静笑着跟他打招呼，梁元安讪讪地，去抱孙平，王雨玲却抱着孩子一侧身，说："平平要王阿姨抱，不要别人抱。"

孙平黑溜溜的眼睛打量了垂头丧气的梁元安一眼，却说："梁叔叔抱！"

"小叛徒！"王雨玲喃喃地说，可是孙平朝着梁元安伸出双手，她也只好把孩子交给梁元安。梁元安很高兴地将孙平举起来顶在头上，孙平高兴得咯咯笑。王雨玲说："你疯了，平平心脏不好，快放他下来！"

梁元安连声答应着，把孙平重新抱在怀里，可是这样一来，两个人因为孩子又重新搭上话了，王雨玲也不好意思再板着脸了，只是拉着谈静走在前头。

　　到了餐厅里，听说是谈静请客，梁元安死活不让，硬是说这顿他请。谈静说："我换了工作涨了工资，这顿就我来吧。你要负荆请罪，等下次吧。"

　　"什么负荆请罪？"王雨玲忍不住又瞪了谈静一眼，"谁要他负荆请罪了？"

　　"负荆请罪我知道！那天玫玫姐的妈妈给她讲故事，我也听到了！就是春秋战国时期，有个大将军叫廉颇，他总是不服气蔺相如官比他大，所以总找蔺相如的麻烦，但蔺相如从来不跟他计较，还对别人说，敌人不敢来攻打我们国家，是因为有我和廉颇将军在，如果我跟廉颇将军闹矛盾，那么敌人就会趁机来打我们，所以我处处让着廉颇将军。廉颇将军听到蔺相如这样说，觉得很惭愧，所以就光着膀子，背着荆条，去向蔺相如赔礼道歉，这就是负荆请罪。"孙平口齿清楚，一口气把整个故事讲完，语气起伏，朗朗动听，倒把三个大人给听怔在了那里。孙平看三个大人都看着自己，不由胆怯，扯了扯谈静的衣角，怯生生问："妈妈，我讲错了吗？"

　　"没有没有！"谈静十分高兴，连忙搂着他，"你讲得太对了！妈妈是听得入了迷！平平真厉害！"

　　"是啊！"王雨玲也笑着说，"我都听入神了，这么拗口的名字，难为他记得下来，我反正是不知道负荆请罪是谁向谁请，就只知道有这个词儿。哎，平平，你将来肯定要考个状元！"

　　孙平非常开心，笑得眼睛弯弯像月牙儿："妈妈说她涨工资了，马上就有钱给我治病了，等我病好了，就可以去上学了。"

　　"对了，"王雨玲想起来，"还没问你呢，你到底换了一个什么工作？"

谈静一五一十，就将自己去面试的事讲给王雨玲听了，王雨玲听得简直要跳起来："哇！谈静你真厉害！"听到值班经理为难谈静，不给她调班，王雨玲又气得没有办法，"这种小人，亏你还帮他写英文信！真是恩将仇报！"

"我这工作，也多亏了那两封英文信，也多亏了你。"谈静将菜单递给王雨玲，笑吟吟地说，"来，点菜，咱们好好吃一顿。"

吃完饭之后，孙平拉了拉谈静的衣角，小声说："妈妈，我还想去小公园玩。"谈静还没说什么，梁元安已经爽快地答应了："走，梁叔叔带你去！"

孙平欢呼了一声，谈静看着梁元安抱着他快步走到街角的小公园去，不由得一阵心酸。王雨玲笑着说："这两个人，倒挺有缘的。"

谈静说："喜欢孩子的人，心坏不到哪里去。梁元安其实人挺好的，你就别总是跟他吵架了。"

小公园里有免费的健身器材什么的，孙平不能做剧烈的运动，梁元安把他放在长椅上，自己去爬器材给他看，逗得孩子咯咯笑，拍巴掌叫好。谈静跟王雨玲也坐下来说话，王雨玲似乎有很多烦恼，一股脑儿地讲给谈静听。主要还是愁钱，她看中了一个店面，就在很大一个居民小区的外头，人流量什么的都没问题，而且整个小区都还没有蛋糕店，按理说在那里开店再合适不过了，可是他们手头的钱付完租金，就没钱买烤箱了，没有烤箱，怎么开得了店？好的店面租不到，开店的事情就是遥遥无期。她和梁元安都已经辞职了，每天的房租水电吃饭，都是坐吃山空。凭他们各自的那一点积蓄，耽搁不起太长时间。

谈静问："那还差多少钱？"

"差一万多呢。"王雨玲苦笑，"老话说一文钱难死英雄汉，我可算明白了。"

"要不我那个活期存折上有一万多块，先借给你们用吧。"

王雨玲一听，头摇得像拨浪鼓："那可不行，那是留给平平治病的。"

"那钱是别人借给我的，我用了一半，还有这一半，到时候再还给他。平平治病我有钱，这钱你先拿去用。"

"别说了，我才不会要你的钱。"

"我又不是借给你，我是入股。等你们挣到钱了，给我按比例分红不就得了。这是投资。我现在工资虽然涨了点，可是要攒到平平的手术费，还早着呢。现在利息这么低，不如把这一万多块钱放在你们店里投资，说不定两年时间，连本带利你们就替我挣回来了。"

王雨玲听见这话，犹豫了一会儿，说："那要是亏了呢？"

"你看梁元安那手艺，能亏么？"

王雨玲说："做生意的事情，怎么说得准呢？"

谈静知道她已经动摇了，于是说："我就算不相信他，也会相信你啊！有你在，生意亏不了！"

王雨玲还在犹豫不决，谈静又说："其实这钱，是个挺讨厌的人借我的，我不想把它花在平平身上，你就先拿去用吧。"

刚到店里打工的时候，谈静年轻，长得又好看，总有人借着买蛋糕来店里看她，还给她起了个绰号叫"蛋糕西施"。有个人就仗着自己有几个钱，在店里买了几千块钱的蛋糕，然后点名让谈静去送货，当时闹得谈静差点被迫辞职，后来店长帮忙，想办法给她调到了另一家店上班，事情才平息下去。所以王雨玲一听到她这样说，立刻紧张起来："啊？那个混蛋又找上你了？"

"没有没有，好几年前的事了，人家早把我忘了，怎么会还找上我。"谈静说，"钱是一个熟人借我的，这熟人原来欠我一个人情，可是我不想用他的钱，就先投资在你们店里吧。"

王雨玲还是犹豫："可是……"

"别可是了，就这么说定了。蛋糕店算我入股，你们给我分红就行了。亏了我也不找你们，反正这钱我压根就不想要。"

"那好吧。"王雨玲暗暗下了决心，挣着钱了一定给谈静大大一笔分红，万一真的亏了，自己就算把压箱底的嫁妆钱拿出来，也会将这一万多还给谈静的。因为她一个人带着孩子，着实太难太难了。

"我明天要上班，反正存折在你那里，我把密码告诉你，你直接去银行取出来，快点把店面的事定下来，快点开业，快点挣钱。"

王雨玲感激得不知说什么才好："谈静，我该怎么谢你？"

"你们赶紧把店开了，好好挣钱给我分红，不就谢谢我了？"

王雨玲豪气地说："放心吧，我一定在年内就替你挣到大大的分红！"

第一天到总公司上班，谈静心情是很激动的。她早就留意到总公司的人都不穿制服，所以第一天上班的时候，特意把平时不舍得穿的一套套裙换上，又把头发梳得整整齐齐，才赶公交车去上班。到人力资源部报到之后，同事就领着她去行政部取了胸卡，还有一些办公用品，然后带她去企划部。穿过大片的开放式办公区，跟上次谈静来的时候不一样，现在这些空位上已经坐满了人，每个格子间的电脑后边，都有人忙碌着。

盛方庭正在忙着讲电话，见到人力资源的同事领着谈静进来，点点头表示知道了。人力资源的同事就先走了，谈静一个人留在盛方庭的办公室里，还是有点心慌的。盛方庭接完电话，才笑着对她说："不好意思，刚才是个很重要的电话，不方便挂断再跟你打招呼。"

谈静很拘谨："没关系，盛经理。"

"来，我们出去，我向同事介绍一下你。"

谈静又跟着盛方庭走到外边的开放式办公区，盛方庭拍了拍手掌，所有人都抬起头来，于是盛方庭介绍了谈静的名字和职位，大家都鼓掌表示欢迎。谈静没有经历过这种场面，于是鞠躬说："以后请大家多多关照。"盛方庭又指了指一个格子间，对谈静说："这是你的位置。"

谈静心里是非常忐忑的，虽然同事们都看上去很和气，可是马上就开始做自己手头的事情，再没人抬头多看她一眼，这样忙碌的气氛让她有点紧张，而那个格子间里干干净净，除了一台电脑，其他什么东西都没有，因为整洁，所以她小心翼翼地走过去。盛方庭是很细心的人，知道她不太熟悉这种环境，于是说："明天你可以带一些个人用品到这里来，比如杯子什么的……"谈静发现前后左右的格子间里，桌子上都零散放着一些东西。除了水杯，还有小盆的盆栽、文件夹、笔筒、即时贴……看来这一个格子，就是每个人的独立空间。

盛方庭叫过一位同事："Lily，你过来一下。"

那个Lily就像电视中的白领精英，穿着合身的套裙，化着精致的淡妆，长发披肩，一丝不乱，笑容和蔼："盛经理。"

"新来的行政助理谈静，这是我们部门的秘书Lily，她会带你熟悉工作。"

谈静连忙伸出手去："你好！"

"你好。"Lily只握了握她的指尖，可是笑容看不出任何怠慢痕迹。

盛方庭非常忙，将她交给Lily后就回自己办公室去了，Lily让谈静打开电脑，注册一个内部邮箱，告诉她说："大部分工作都会通过内部邮件来沟通，你给自己取一个英文名字吧，然后直接用作邮箱的前缀。"谈静没有英文名字，Lily直接替她取了个叫Helen，说这样方便好记。

谈静于是成为了企划部的Helen，在整个圣美中国公司，就有六个Helen。圣美公司在美国、日本、加拿大等国家还有分部，加起来的Helen就更多了。谈静上班的第一天是在混乱中过去的，公司有一套独立的办公系统，而且谈静上学那会儿还是office97，现在都已经是office2010了。好在谈静是个很刻苦的人，Lily似乎很忙的样子，她不敢经常去打扰，就把所有问题记在一张纸上。中午吃过饭，又拿去请教Lily。Lily见她很多常识都不懂，心中除了好笑又是吃惊，心想眼高于顶的盛经理怎么允许人力资源部弄来这样一个宝贝，不过碍于面子，她还是牺牲咖啡时间耐心地教了谈静。

到了下午的时候，整个公司抄送的邮件里面，就已经有了企划部Helen的邮件。谈静收到邮件还是挺兴奋的，打开来见是市场部最后确认的大中华区促销计划，光附件中的电子表格就是二十多个，谈静看得头晕眼花，也没看懂那些表格是什么意思。好在也没有人来问她关于这封邮件的事情，谈静觉得自己还没有做什么工作，就已经到下班时间了。

同事们纷纷离开办公室，她还有几个软件上的问题没弄明白，于是坐在那里苦苦地钻研，不知什么时候，办公室里的人早就已经走光了，也没有人开灯，就是面前显示器的白光，照在她脸上。

盛方庭从办公室出来的时候，就看到这一幕。黑暗的开放式办公区里，一点白光映着谈静的脸庞，她的表情虔诚而认真，仿佛面对的不是一个普通的液晶显示器，而是一尊佛龛似的。一天下来，她被橡皮筋绑住的头发有点蓬松了，在那白光里显得毛茸茸的，倒显得模样比平常要稚气一些。她全神贯注地盯着显示器，似乎一点也没有发觉其他人早就走光了。盛方庭不知不觉走过去，问："怎么还不下班？"

谈静被吓了一大跳，待看清楚是盛方庭，才讷讷地说："有几个邮件没看懂，我就忘了。"

盛方庭看了看邮件后面一长串CC名单，说道："这个看看就行了，这一封你要回复一下，这一封不用。"他飞快地指点着谈静，不一会儿就把邮箱里的邮件全都清理了。谈静对办公系统不熟悉，他又解答了几个谈静记在纸上的问题，然后对她说："今天就到这里吧。"

"谢谢盛经理。"谈静心中十分感激，一天的相处，她早就看出来Lily对自己只是表面客气，她不好意思总去麻烦她，而其他同事，都更加不熟了。虽然盛方庭没有回答完她的全部问题，但工作中她主要的不懂的几点已经指点明白了。

"你住哪里，我可以顺便捎你回家。"

谈静犹豫了半秒钟，盛方庭说："你有很多问题想问，我知道。所以我捎你一段，顺便替你解答。"

谈静于是请他把自己带到五号线的地铁站，早上来的时候她就发现，坐公交没有坐地铁划算，因为公交要换好几趟车。她跟着盛方庭到地下车库的时候，正巧遇到舒琴。她高跟鞋嘚嘚的声音在地下车库里回荡着，十分响亮。她的车就停在盛方庭车边，当看到盛方庭和谈静的时候,舒琴很自然地打了个招呼:"盛经理!"

"舒经理,下班了?"

"是啊,明天见。"

"明天见。"

舒琴开一部红色的车子,她把包包扔进副驾驶座,就直接启动车子,发动机发出轰鸣声,她倒出车位,扬长而去。谈静只觉得她这一系列动作流利帅气,真是像电视里的女主角一样,却没有想太多。盛方庭却在想着,刚刚舒琴笑容中的那一抹意味深长。本来自己把谈静调到公司来,可能就已经引起了她的误会,现在又让她看到自己和谈静一起下班,她这次肯定会想多了。不过,他决定暂时把这事抛在脑后。

在车上,盛方庭向谈静简略地描述了一下企划部助理的工作内容,告诉她哪些事情首先要保证完成,哪些邮件不必回复,哪些工作可以延后处理。谈静非常感激,说:"我什么也不懂,给您添了很多麻烦。"

"其实所有应届生都是这样的,我想Lily一定以为你是应届生,她应该能理解。"

谈静没有做声,这个工作环境是全新的,每个人都彬彬有礼,她不仅是换了一个工作,而且是换了一个阶层,而这个阶层的人,虽然很有礼貌很客气,但其实都挺疏远的。她想起刚刚遇见的那个舒经理,她才像是真正应该待在这里的人,一眼看上去就精明能干。

不过,自己会努力的,因为她需要这份薪水更高的工作,她要给平平治病。想到平平的病,她又想起下周一约了聂宇晟。那正是上班时间,原来自己可以调班,现在自己朝九晚五,没办法调班了，难道刚上几天班就得请假？自己还在试用期，同事们会怎么样看呢？而且去见聂宇晟，对她而言，真是一件难以完成的任务。

不过只一会儿她就不让自己想了，所有的困难都会过去的，现在她要去接平平回家，然后做饭给孩子吃。不管怎样，生活刚刚有了一线曙光，她乐观地想，比原来总是好多了。

接完孩子之后她带着孩子去买菜，在路上孩子就饿了，她在菜场里买了两块钱的鸡蛋饼给孩子吃，她知道孙平吃完鸡蛋饼就差不多饱了，所以只买了两样小菜。这个时间菜场里卖的小菜都蔫了，所以也便宜。反正大人吃的菜，粗糙点也没有关系。

孙平不能爬楼，她背着孩子拎着东西上楼，气喘吁吁刚刚站稳，就听到背上的孙平说："爸爸在家！"

果然家里是有人，因为防盗门没关，木门也虚掩着。谈静心里怦怦跳，一半是因为刚刚才爬完楼梯，一半则是因为上次孙志军走的时候，说的那番话。她很担心他当着孩子的面跟自己吵起来，而且又口无遮拦。现在只希望孙志军喝醉了，这样倒还好点，起码不会跟她吵架。

她推开虚掩的门，然后弯下腰，孙平从她背上溜下来，说："爸爸喝醉了。"

果然，孙志军睡在沙发上，人事不省，还好没有吐。谈静对孩子摇了摇手，孩子就乖顺地回到卧室里去了，她打开窗子通风，才发现窗台上搁的那碟豆芽，已经蔫了。这几天太忙，没有顾得上浇水，所以豆芽也枯死了。她把那碟豆芽倒进垃圾桶里，把盘子洗出来，走出来看到孙志军酒气熏天的样子，知道他一时半会儿醒不了，所以自顾自又进厨房做饭去了。

淘米的时候她迟疑了一下，还是放了两盒米，就算孙志军不吃，明天她热热也可以吃。把饭炖上，然后开始洗菜炒菜，等吃上晚饭已经是八点多钟，再给平平洗澡，又把碗洗出来，平平已经睡着了。

她实在是困倦了，洗完澡也睡了，迷糊了没多大一会儿，突然听到客厅里有动静。上次孙志军喝醉了，从沙发上摔下来，所以她担心地爬起来，打开门一看，孙志军正坐在桌边吃饭，他用汤泡了一碗饭，正吃得稀里呼噜的，谈静正打算回去睡觉，突然听到他头也没抬，说："你过来，我有事跟你说。"

谈静怕吵醒孩子，想了想掩上了房门，走到桌边，问："什么事？"

"这回进派出所，我把工作也丢了，赌债也没还上，说不定过两天人家就会找到家里来，你带孙平躲躲。"

谈静没想到他说出这样一番话来，愣了一下才问："你到底欠人家多少钱？为什么人家要找到家里来？"

"不是跟你说了吗？两万！"孙志军咧了咧嘴，"那帮孙子什么事都干得出来，没准会往咱家门上泼红油漆，反正你到时候别吓着就行。"

谈静忍气吞声："你到底在外面惹了什么麻烦？不赌钱不行吗？万一人家真找到家里来，左邻右舍会怎么说？房东会怎么说？这房子又便宜又好，房东要是怕惹事不租给我们了，你让我上哪儿找房子去？"

孙志军哼了一声，把碗一放："那你给钱我还债！"

"我没有两万块钱。"

"那不就结了，你带孩子躲两天，那些人找不着我，自然就消停了。"

谈静一时气结，坐在桌边，一语不发。

"后悔啦？你老公就是这德性，谁叫你嫁了我！"孙志军又盛了一碗饭，把剩菜一股脑儿倒进碗里，搅了搅又吃起来，"你现在去找那姓聂的，也还不晚。"

"我跟聂宇晟没什么了，你为什么要天天提他？"

"你那不是天天想着他，却不准我提他？"

"谁天天想着他了？"

"哟，不承认？不承认我也知道你天天想着他。要不你找他要两万块钱，替我把账了了，我保证以后在你面前不提他了。"

谈静说："我不会去找聂宇晟要钱的。"

"你当然不会去，也不看看你现在这德性，姓聂的还看得上你？"

谈静站起来，疲惫而沉默地朝着卧室走去，孙志军还在她身后冷笑："你不去，我去。"

谈静蓦然转过身来，睁大眼睛看着他："你想干什么？"

"也不干什么，姓聂的那么有钱，找他要两万花花，应该挺容易吧？"

"你凭什么去找聂宇晟要钱？"

"那你管不着。"

谈静终于低下了头："求你了。"

"求我啊？我考虑考虑。不过这赌债我还不上，也没办法啊！"

谈静忍气吞声："赌债的事，我再想想办法。"

"行，那我等着你的信。不管你找不找姓聂的，只要你给我两万块还债，我保证不干让你不高兴的事。"

谈静回到卧室之后，看着沉沉熟睡的孙平，不由得深深叹了口气。她不知道孙志军说的是真话还是假话，可是他在外头欠人家钱，也不是第一次了。最开始她还替他还过几次赌债，后来她知道那是一个无底洞，就再也不肯给他钱了。可是现在他似乎越来越得寸进尺，甚至开始拿聂宇晟来要挟她。

无论如何，她不肯再向聂宇晟开口要钱了。她也没有任何资格，再问他要钱。

两万……她上哪里去弄两万块钱……虽然存折上有这么多，但是那是替孙平攒下的手术费，她怎么能拿这钱去填赌债那个无底洞？

她在矛盾和焦虑中睡着了。

【玖】

　　周六的时候，聂宇晟值的是大夜班，反正值班室里睡不成囫囵觉，他于是带着笔记本电脑查一些资料。医院当然没有WIFI，不过他买了一个上网卡，也够用了。起初护士们都以为他偷偷玩游戏，后来发现他看的全是英文案例资料，右下角的MSN倒是经常一闪一闪，因为聂宇晟的很多同学都留在美国，时差的关系，他上夜班的时候，那边正好是白天，所以他们也会在MSN上讨论一些问题，基本上都是有关专业的。

　　今天晚上一个急诊手术也没有，安静到了后半夜，倒是很难得的情况。聂宇晟去给自己泡了杯浓咖啡，顺便站起来活动一下，走廊里静悄悄的，护士站的值班护士快要盹着了，掩着口又打了个哈欠。就在这时候内线电话响了，半夜时分的电话常常代表着紧急情况，果然护士一接就睁大了双眼，然后挂断电话立马朝值班室跑过来。

聂宇晟知道应该是有急诊，果然听到护士气吁吁地叫："聂医生，有个车祸的伤患，肋骨骨折，可能伤到心肺，120马上送过来！十五分钟后到急救中心。"

"跟车的医生是谁？"

"急救中心的马医生。"

聂宇晟稍稍放下心来，马医生虽然年纪不大，但在急救中心工作快三年了，而且是外科出身，经验非常丰富。前期处置会做得不错，这样可以为后面的手术争取更多的时间。他立刻去准备手术。

这一台手术做下来，天也差不多亮了。虽然手术室里空调很冷，聂宇晟还是出了一身汗。回到值班室洗了个澡，有点疲惫，早班的同事已经纷纷来上班了，虽然是周末，可是方主任照例早上会过来一趟，所以谁也不敢怠慢。听到有急诊手术，方主任只问了问谁的主刀谁的一助，听到是聂宇晟主刀，方主任就没再多问了，径直去了值班室。

看到聂宇晟脸色发白趴在桌子上写医嘱，方主任也知道值完大夜班的人都是这样，何况下半夜还做了个急救手术，再耗精力不过，所以方主任把手里的一包牛奶给了聂宇晟："你师母非要我带来。我在车上捏着，还是热的，你晓得我最讨厌喝牛奶了，帮我解决了。"

聂宇晟其实又饿又困又乏，所以匆匆把牛奶喝完，跟着方主任去看了看病人。刚回来跟早班的同事交班，手机就响起来，他一看是张秘书，就不太想接。不过想这么早打给自己，八成又是让自己回家吃饭，自己刚值完大夜班，正好有借口推托。

谁知道一接之后，才知道今天一早聂东远要到医院来做身体检查，张秘书委婉地说，希望聂宇晟能去体检中心看看，毕竟是父子，何况他就在医院工作。

聂宇晟说："他不一直在别家医院做体检吗？为什么这次到我们医院来？"

张秘书说："最近可能是应酬太多了，所以觉得有点不太舒服，做个检查放心点。你们医院的肝胆外科是最好的，这次主要检查肝胆，所以就到这儿来了。"

聂宇晟觉得纯粹是借口，常规肝功能在哪个医院做不是一样？不过既然聂东远都来了，自己不去，似乎有点说不过去，而且这次要是自己不露面，没准聂东远会有更多后手等着自己，不如去打个招呼，让他面子上好看，这样短期内他也不会再想别的招数。

他交完班脱了医生袍就去体检中心，这里是医院的主要创收部门，环境什么的都是最好的，一进体检中心，一帮小护士就齐刷刷行注目礼，甚至还有人激动得立刻掏出手机来发短信，告诉其他部门的同事说聂宇晟到体检中心来了，而且没有穿医生袍，哗，普普通通的衬衣牛仔裤都能被他穿得这么帅，简直令人发指！

聂宇晟浑然未觉，因为他实在太困了，平常值完夜班这个时间，早就回家睡觉了。他低头走进来，等看到张秘书，才抬头打了个招呼，又跟聂东远的体检医生打了个招呼。聂东远已经抽完了血，正按着肘弯坐在那里，看到他进来，聂东远自然挺高兴，仔细打量了一下，说："脸色怎么这么难看？"

"刚值完夜班。"

"知道我当初为什么反对你选这行了吧？太辛苦了，现在年轻熬得住，将来老了，有得你受的。"

聂宇晟耷拉着脑袋不说话，聂东远看到他唇色惨白，无精打采，知道自己儿子体质也就那样，既挑食又贫血，现在熬完通宵没准还上过手术台，这个时候肯定是心神俱疲，自己哪怕再说一万句，他也听不进去。又是气恼又是心疼，忍不住长长叹了口气。

做了两三项常规检查，医院主管行政的副院长就来了。他跟聂东远是老熟人了，笑呵呵地打招呼，又亲自看了看几项已经出来的检查结果，说："血压高，血脂高，脂肪肝……聂总啊……饮食上还是要注意控制啊！咦，小聂没过来？"

"他早来了。"聂东远一边说，一边回头打算叫聂宇晟。心里还在诧异，自己这个儿子虽然有点疏懒性子，连对自己都爱理不理的，可是外人面前从来不会缺少礼貌。不知道今天为什么一声不吭，看到副院长来了，都没过来打招呼。一回头才看到聂宇晟不知道什么时候，歪在长椅上睡着了。

副院长也已经看到了，说："小聂刚上完夜班吧？他们科室的急诊手术特别多，没准昨天又忙活了半夜。太累了，别叫醒他，让他眯一会儿。"

副院长走后，所有的检查结果也都出来了。张秘书想叫醒聂宇晟，聂东远摆了摆手，看聂宇晟睡得正香，当然椅子上是非常不舒服的，所以他的眉头微微皱着，也不知道梦见什么，从闭着的眼皮也看得到眼珠迅速转动，睫毛微微发颤。他的外貌大部分遗传自聂东远，唯独眼睛眉毛是像他母亲，小时候跟女孩子似的，睫毛长得能放下铅笔，那时候聂东远最爱夸口，说一看就是我儿子，长得多像我。聂宇晟总是一本正经指着自己的睫毛反问："你有这么长的睫毛吗？"聂东远不以为然："睫毛长有什么用？"

"好看啊！能挡灰啊！"小小的聂宇晟嘴一撇，"反正你没有！"

那个时候的父子之间，总是充盈着笑语。哪像后来，儿子见着他，就跟见着仇人似的。

聂东远无限伤感，忍不住又叹了口气，弯下腰，轻轻拍了拍儿子的胳膊："小晟？小晟？"

很多年没人这样叫过他了，聂宇晟睡得迷迷糊糊的，觉得好像回到小时候，保姆阿姨早上哄他起床，千般难万般难。每天聂东远上班的时候顺便捎他去学校，每次都是司机来了，车子在楼下等着了，他还赖在床上没起来。阿姨拿他没办法，一边唤着他的乳名，一边给他套上衣服，连哄带骗刷牙洗脸，等进了车子后座，他还差不多没醒，打个哈欠，靠在父亲身上，继续睡。等到了学校门口，聂东远会把他摇醒，司机替他拎着书包，送他进校门。

"小晟？"聂东远摇着他的胳膊，他迷迷瞪瞪睁开眼睛，才发现早已经不是小时候，自己是在体检中心睡着了。看到他醒了，聂东远也收回了手："困成这样，叫司机送你回家睡去吧。"

"我能开车。"

"逞能。"聂东远嘀咕了一句，"倔脾气，也不知道是像谁！"

聂宇晟还是把聂东远送走了，自己才去取车子。在停车场遇见常医生，他也下夜班回家，看到聂宇晟就打了个招呼。

聂宇晟跟常医生的关系说熟不熟，说生不生，因为他们俩并列医院的院草榜首，自从常医生去年结婚了，人气就下滑得厉害，不过还是有大票的小护士喜欢常医生，很多小护士看到他笑眯眯的样子，就脸红耳热。

"今天聂董事长过来做体检？"

聂宇晟点点头，常医生是消化内科，最近轮值体检中心的领导是消化内科的泰斗林主任，常医生是林主任的得意弟子，这几天跟着他到体检中心来上班，当然知道聂东远体检的事。

"别担心了，一切等活检结果出来再说，你也是学医的，知道这时候着急也没用。"

聂宇晟猛然吃了一惊，睡意全无："什么活检结果？"

"肝区有阴影。"常医生的表情似乎比他更吃惊，"体检医生没告诉你？我刚听到他跟林主任说的。"

聂宇晟心一沉，刚才体检到一半的时候他睡着了，后来聂东远叫醒自己，自己也爱理不理的，没跟他说什么话，谁知道竟然出了这么大的事。

"主任怎么说？"

"等活检结果啊。"

"那……那我爸爸知不知道？"

"应该没告诉他……"

聂宇晟马上有给张秘书打电话的冲动，但一想这会儿张秘书肯定跟聂东远坐在一辆车上，自己打过去也不方便说什么，不如立刻回体检中心去问林主任。

他匆匆忙忙跟常医生打了个招呼，就回体检中心去了。林主任看到他，说："正要找你呢，你们科室的人说你下了夜班走了，正打算给你打电话。"

"怎么回事？"

"你爸爸的肝区有阴影，活检报告还没有出来，等出来再看吧。"

"去年做体检还好好的。"

"小聂你别着急，一切等活检报告出来再说，你心里有数就行了，没准是虚惊一场。"

聂宇晟开车回家，一路心情都是很阴郁的。有段时间他跟聂东远的关系很糟，糟到好几年都不说一句话，回国之后，他也没回家去住，算起来每年父子都见不了几次面。每次见到聂东远，他的态度自然是很恶劣的，因为过去的种种，让他对自己的父亲，总是有一种抵触的心态。可是不管怎么样，他毕竟是自己的血亲，是给予自己一半生命的那个人。

回到家里他给张秘书打了电话，张秘书说聂东远已经到公司加班，然后问他有什么事。

聂宇晟想了想，说："没事，早上我睡着了，怕他有什么事没跟我说。"

张秘书趁机说了一堆聂东远的好话，又说："聂先生看你睡着了，都不让别人叫你。最后检查做完了，才自己走过去叫醒你。父子哪有隔夜仇的，何况他是长辈……"

"那他晚上有没有空？"

"有啊有啊，当然有啊。"张秘书迅速地腾出一只手，在备忘录上把聂东远和国税局长的饭局给划掉，"你要是晚上回家吃饭，我跟家里保姆说一声，叫她多做两个菜。"

聂宇晟未置可否，说："我也不见得回家吃饭。"

张秘书笑着说："反正是回家一趟，陪聂先生吃顿饭吧，他血压高，少一顿应酬，多在家吃顿饭，就对身体好一点儿。"

过年的时候他在医院值班，大年初二才回家去看一看，想必聂东远不是不失望的。连他身边的秘书都知道，老板跟儿子的关系是一根弦，绷得紧一点，老板就不高兴，哪天儿子松一松，老板的心情就能好些。

张秘书脚步轻快地走进聂东远的办公室，告诉聂东远，聂宇晟主动打电话来，说要晚上回家吃饭。

聂东远听见这话，倒没有喜上眉梢，反倒冷笑了一声，说：

"这小子，没准又有什么事要跟我犯倔，所以先以退为进，哄我上当呢。"

张秘书苦笑了一下，说："小聂大不了就是不肯交女朋友，不肯结婚，除了这个，也没啥好倔的了。"

"我叫他回公司来上班呢，医院有什么好，累死累活，手术台上一站大半夜，能挣几个钱？早上看到他跟条死鱼似的，坐在椅子上就能睡着！"

"回家吃饭总是好事。"张秘书腹诽，小聂已经是个那样的脾气，这老聂更是揣着一肚子的三十六计，儿子不理他吧，他不高兴，儿子肯理他吧，他又觉得有阴谋。这爷俩过得比谁都累。不过他是夹心饼干，只能两边说好话，"小聂再倔，也是孙悟空，翻不出您掌心。他玩什么花样，晚上您听听不就得了。"

聂东远倒是挺以为然的，自己这个儿子虽然脾气倔，其实人挺单纯，是个书呆子，在自己面前，谅他翻不出什么花头来。

聂宇晟回去睡了一觉，等醒来时天已经黑了，他洗了个澡，换衣服开车回聂家大宅。接门铃是保姆来替他开的门，见着他不由满面笑容："小聂回来了？"

家里的保姆已经换过无数茬了，这一个估计又是新换的，聂宇晟都不大认得，点点头当过招呼，换了拖鞋往客厅里走，聂东远已经下班回来了，坐在沙发里看报纸。听到他进来，抬头瞥了他一眼，对保姆说："跟秦阿姨说，就开饭吧。"

那个秦阿姨是新换的家政助理，专门负责做饭，做出来的菜颇有点家常味道，父子两个都吃了一碗饭，喝汤的时候，聂东远突然说："你明天上白班？"

聂宇晟"嗯"了一声，聂东远说："换个班吧，明天陪我去一趟郊区。"

聂宇晟下意识不太情愿，于是说："我明天安排有很重要的手术。"

"我想去你妈坟上看看，公墓打电话来说，有一批好的墓穴出来，我想给你妈换个地方，现在墓地跟市中心的房地产似的，好位置也越来越少了，这次就选个双穴的，等我死了，正好跟她合葬在一块儿。"

聂宇晟不由得抬头看了聂东远一眼，餐桌上吊着一盏灯，因为灯悬得低，所以照着聂东远灰白的双鬓，清清楚楚映出额头上的皱纹，还有沉重的眼睑，毕竟快六十岁的人了，再不服老，也已经老了。

聂宇晟没再说什么话，只用瓷勺搅着碗中的鸡汤。

换墓地是大事情。第二天一早，聂东远还带了个风水先生，跟聂宇晟一起去看墓地。这两年公墓的发展很快，聂宇晟每年清明节都会来给母亲扫墓，所以他走在前头，一会儿就找着了母亲的墓碑。在当年，这里的墓穴算是很豪华的了，现在夹杂在一片高低参差的墓碑中，变得毫不起眼。

聂东远血压高，上山这么一点路，就已经走得气喘吁吁。他推开了秘书递上来的矿泉水，先把手里的花束放在了妻子的墓碑前，看着儿子，说："都不让烧纸了，也不让烧香了，就给你妈鞠几个躬吧。"

聂宇晟沉默地朝着母亲的墓碑三鞠躬。直起身子看墓碑上的女人，她温柔地笑着，凝视着儿子，微微上翘的嘴角，似乎随时还会唤一声儿子的乳名。

"走，我们去看看新墓穴。"

新的墓穴在山上的更高处，虽然公墓修的石阶十分平整，可是聂东远也走得满头大汗，到最后累得迈不开腿，扶着膝盖只喘气，自嘲地笑："真是老啰，这几级台阶都上不去了。"

张秘书连忙说："是天气太热了。"

聂宇晟没吭声，只是扶了父亲一把，聂东远被儿子这一搀，倒打起点精神来："没多远，就快到了。"

风水先生拿着罗盘先看了一遍，然后选了两个上上大吉的双穴，一个据说子孙兴旺，另一个则是十分利财。聂东远说："那就要那个旺子孙的吧，人都死了，还要钱做什么。"

"是后世有财，后人的事业十分兴旺。"风水先生笑着说，"不过宜子孙的那个穴也好，多子多孙多福。"

"多子多孙我也不指望了，不断子绝孙就不错了。"聂东远做决定极快，指了指那块墓穴，"就这个吧。"

秘书跟着公墓管理处的人去刷卡交钱，聂东远坐在树下的石椅上休息，聂宇晟拿着瓶矿泉水，沉默地打量着山上一层层整齐的墓碑。聂东远突然说："你打个电话，问问活检结果出来没有。"

聂宇晟素来沉得住气，这时候也被吓了一跳，不由得转过身来，看了父亲一眼。

"我都活了几十岁了，你们那点花样，瞒得过我吗？抽血？抽血有往肚皮上抽的？那明明就是做活检！不用哄我了，说吧，到底是肝脏，还是胆囊？"

"明天结果才会出来。"聂宇晟说，"等出来再说吧。"

聂东远沉默了一会儿，才说："我也不指望你回公司来，接我的手管那一摊事。儿孙自有儿孙福，我小时候过的日子太苦，家里七八个孩子，连番薯都吃不饱。所以年轻那会儿拼命挣钱，总觉得有了钱才能给自己孩子创造好的条件，让你过得幸福。结果呢，工作太忙，反而顾不上你。我知道在你心里，其实是恨我的，到了我这把年纪，也看开了。你愿意做什么，就做什么去，可是事情都过去这么多年了，你用不着因为跟我赌气，连女朋友都不交一个。我要是走了，这世上就剩下你孤零零一个人了，到了地下，我怎么跟你妈交代呢？"

聂宇晟沉默地捏着矿泉水瓶，不知不觉已经将那瓶子捏得变形了。

"那个谈静就算有千般好，万般好……"

"我没觉得她好。"聂宇晟打断聂东远的话，"您不用说了，我会找个女朋友的。"

"一提到她你就不高兴，你不要以为当年的事我一点儿也不知道，你不把过去那点事放下来，你就算找个女朋友，也是不会长久的。你不用因为我的话，就找个女人来结婚。我希望你过得幸福，而不是为了将就我，随便把自己的婚姻敷衍了事。这样对你不公平，对你未来的太太，也不公平。听我一句话，儿子，把她忘了吧，过去的事早就过去了。"

是啊，过去的事情早就已经过去了，哪怕再念念不忘，也不过是徒增烦恼而已。聂宇晟沉默地看着风吹动墓碑间的松柏，它们在风中摇曳，像是一排整齐的卫兵，守护着这片静谧的沉眠之地。

因为他跟同事换了夜班，所以从墓地离开的时候，他就不再跟聂东远同车回去。当聂东远走向那辆奔驰车的时候，聂宇晟觉得他的背影既衰老又沉重。也许是因为刚才父亲的一席话，也许是因为那份结果待定的活检报告，让他觉得既无力又伤感。

在开车回去的路上，手机响了，是个陌生的电话号码，聂宇晟本来不打算接，但一想可能是哪位病人，所以还是接了："你好，聂宇晟。"

电话那头半晌没有人说话，他本来以为是打错了，正打算挂掉，突然听到一个迟疑的声音："聂医生……"

他怔了一下，竟然是谈静，她似乎很担心他挂断电话，急急地说："您说今天下午可以去您办公室，但护士说您跟人调班……"

今天下午，他原本约了谈静谈那个该死的补贴方案，可是聂东远一病，他心神不宁，答应了陪着父亲来看墓地，就把这件事忘到了九霄云外。

"对不起，我忘了。"

他的声音冷漠而有礼貌，谈静拿不准他是不是有意回避自己，但是事到如今，逼上梁山也只有一条路。她问："那您今天还会到医院来吗？我今天是请假过来的，如果改一天的话，不是特别好再请假。"

什么时候，她对他的称呼已经从"你"变成了"您"？他的心里只有一种难受的钝痛，刚刚在公墓的时候，他才下定决心，忘记过去的一切，重新开始。可是短短片刻之后，她却又重新闯进来，命运似乎永远在刻意地让他难过。

他决定快刀斩乱麻，早点解决这件事，也早点停止和她的接触。他说："我今天会到医院上夜班，你现在是在医院？那就在我办公室等一会儿。"

"好的，谢谢您。"她像所有的病患家长一样客气而谨慎，语气间唯恐得罪他似的。

从郊区赶回城里天色已晚，来不及吃晚饭他就去值班室接班，忙完一堆手续，才看到谈静站在走廊里等着他。

他不愿意多看她一眼，只是说："进来谈吧。"

谈静取出一张纸，上面密密麻麻记的全是她看不懂的医学术语，她像个小学生似地请教，一点点问清楚每个词每句话的意思，聂宇晟突然有点恍惚，大约是因为值班室里白炽灯太亮，让他想到高中的时候，谈静有数学题不会解，请教了班上的一位男生，被他看到之后，他就天天抓着她讲习题。那时候在白炽灯下，他给她讲解过一道又一道难题，一切清晰得就像昨天一般。

"听懂了没有？

他总是习惯性地在最后问上一句，谈静低垂着眼帘，轻轻点了点头。

"就手术风险来看，不算是太高。法洛四联症拖到这个时候，即使是传统的手术，风险也已经很大了。你好好考虑考虑吧。"

谈静突然抬起头来，看了他一眼。即使岁月在她身上留下那么多的痕迹，即使生活将她完全变成另外一番模样，可是她的眼睛还是那样黑白分明，清冽得几乎能令他看见自己的倒影。

他下意识地回避她的目光，却听见她的声音，仍旧很轻很低，似乎带着一种怯意："聂医生，我想听听你的意见。作为医生，你是否建议病人，做这个手术。"

也不是没有病人这样问过他，那些家属殷切的眼神看着他，就像他是能够起死回生的神一般。但他不过是个医生，即使在手术台上尽了自己最大的努力，可是能挽救的，仍旧是有限的生命。不过他做梦也没有想过，某一天，谈静会这样殷切地问他，为了另外一个人，而那个人，是她的儿子。他不愿意看她的眼睛，他心里当然明白手术方案的风险，而他也知道，她是以什么样的期盼来问出这样一句话。在她的声音里，他甚至听出了虔诚，人在绝望的时候总会祈求上苍的垂怜奇迹的发生，所以会抓住最后一根救命的稻草，无数次他都被病人家属这样问过，可是唯独这一次，他觉得椎心刺骨。他知道，如果有可能，谈静宁愿用自己的生命去换取那个孩子的生命——她和别人的孩子——聂宇晟突然觉得，绝望的那个人其实并不是谈静，而是他自己。自欺欺人得久了，连他自己都真的以为，他恨这个女人。其实他心里清楚，所有汹涌的恨意，其实是因为刻骨铭心的爱，深藏心底的爱。真正可笑的是他自己，事到如今，竟然还没有办法阻止自己继续爱下去。

他尽量控制自己的情绪，字字斟酌地说："作为医生来讲，这个方案有不确定性，不过这也要看你们自己怎么决定。"

谈静似乎非常失望，只"哦"了一声。

他不愿意再跟她多说："你回去考虑考虑吧。如果愿意做，填个申请表，我们会向CM公司提交补贴申请，快的话，三五天就批下来了；如果不愿意做，就考虑传统手术方案吧。"

谈静似乎颇为犹豫了一会儿，才说："谢谢你。"

"不用客气，这是我应该做的。"他合上手中的资料夹，站起来摆出送客的姿势，"我还要去病房转一转。"看她低头坐在那里沉默不语，他问，"还有什么问题没弄清楚？"

她飞快地抬起眼睛又看了他一眼，似乎还有话想要说，可是最后她什么都没有说，而是站起来，又说了句："聂医生，谢谢你。"然后匆匆就走掉了。

从病房回来之后，聂宇晟将单板夹扔在桌上，有点茫然地看着桌子对面那个空位。一个多小时前，谈静还坐在那里，低着头，一句一句问他问题。她的头发因为营养不良变得粗糙，她的眼角已经有了细纹，可是后颈那个雪白的小窝还在，只要她一低头，就从头发的遮掩下露了出来。在很长一段时间里，聂宇晟觉得给谈静讲解习题最大的乐趣，就是可以看到她后颈那个雪白的小窝。这是他快乐的小秘密，所以当看到她去问其他男生问题的时候，他就觉得忍无可忍了。

很多次，他也吻过那片雪白细腻的肌肤，那是谈静最敏感的地方，只要他一在那里呵气，谈静就全身酥软只会笑着叫投降。可是她现在嫁人了，她属于别人了。想到这里他就觉得格外难受，恨不得快步走到天台去，抽一支烟。

在谈静向他要钱的时候，他觉得自己绝望了；在生日那天，看到谈静跟孩子说笑回家的时候，他觉得自己绝望了。可是真正绝望的，却是谈静坐在他面前，以那样虔诚那种祈求的目光看着他，为了她和另一个人的孩子。

她说过："这世上最残忍的事并不是别的，是让你以为自己拥有一切，最后才发现一切其实都是假的。"

在潜意识里，他从来不去回想那个雷雨交加的夜晚，不去回想她那句残忍又冷酷的话，只要他不想，他就能自欺欺人地觉得，很多年前，或许只是一场噩梦。

谁也不知道他在那个大雨夜里走了多久，谁也不知道他在那个大雨夜里流过多少眼泪。大雨冲刷着一切，在很长一段时间，每天晚上他都做噩梦，在梦中仍旧是自己独自走在雨中，雷电仿佛利刃，一刀刀割开浓稠的夜色，大雨像绳索一般抽打在他的脸上，他的身上，他的脸上不知道是雨水还是泪水，在成年之后，他从来没有那样痛哭过。雨中迎面车道上的车灯雪亮，而他下一秒，就只想迎着那雪亮的车灯撞上去，撞得粉身碎骨，永远也不要醒来。

在美国的时候，他甚至看过心理医生，很长一段时间，需要药物的帮助。整个治疗过程长达三年，最后，他终于不再做那个噩梦。心理医生语重心长地警告他，这并不代表他痊愈，这只代表他暂时将这段心理创伤封闭起来，换句话说，就是自欺欺人地当成那段对他造成严重伤害的往事并没有发生过。这种现象临床非常常见，比如白发人送黑发人的老人，常常会顽固地否认孩子已死亡的事实，比如遭遇过强暴的女子，总会选择忘记那天晚上发生的事。这比他夜夜做噩梦还要糟，因为显性的症状变成了隐性，他的心理会在某种特定状况下更加不稳定。

"你没有真正选择遗忘，你只是选择封闭。"

心理医生的话言犹在耳，他也知道自己的问题所在，可是这几年来，情绪从来没有超出过他自制力的范畴，直到重新遇到她。

她早就开始了新的生活新的人生，而自己，是该彻底停止这种不切实际的、永远没有希望的思念了。

他应该选择真正地放下。

谈静走到公交站的时候，突然觉得很累。包里还有五千多块钱。下午的时候，她去把胸针卖了。当初在最困难的时候，她都没有想过卖掉那枚胸针，因为那是聂宇晟送她的第一件礼物。可是今天下午她去了典当行，铂金这几年来涨了好多倍，所以她没想到光铂金材质就值五千，碎钻倒不怎么值钱，对方一共给了她五千六，她装在包里，去了医院。

当护士告诉她聂宇晟不在的时候，她还以为他是有意避开自己，她站在走廊里，心头一片冰凉，自从上次找他要钱之后，她原本也觉得自己没有脸再见他。

如果硬气一点，她也应该把这五千六先还给他，可是她不能这么做。孙志军要钱，她虽然筹不到两万，也得给他几千块，不然的话，他没准真的干出什么可怕的事情来。

回忆就这样一点点被掏空，最后一点纪念也被她换成了钱。她自嘲地笑笑，为了钱，自己还有什么做不出来的？

公交车来了，医院门口上车的人很多，她挤到后面，发现还有一个空位，于是坐下来，抱着包迷迷糊糊睡了一会儿。现在每天晚上她都会把孩子接回来，孙平跟普通的孩子不一样，晚上的时候要特别注意，防止他睡觉的时候因为心脏供血不足而窒息。

所以她晚上总要醒三四次，看看孩子睡得怎么样。白天的工作比起收银来要复杂许多，她要学的东西太多了，每天被迫熟悉大量的新知识，每天的八小时都是非常紧张的。

她只睡着了一小会儿，一睁开眼睛，突然发现有点不对劲，怀里的包拉链竟然被拉开了。她马上翻找，发现放着那五千多块钱的纸包不翼而飞。

她不由得"腾"地站起来，她只睡了那么一小会儿，怎么钱就不见了。

"师傅！我钱被人偷了！"

公交司机从后视镜里看了她一眼，没吭声。

"师傅，麻烦您开到派出所去，我只睡了没一会儿，这还没有三站路。"

车上的人立刻不满起来："这去派出所还远着呢！"

"麻不麻烦啊！"

"都赶着回家呢！"

"都停了两站了，小偷说不定早下车了。"

"就是……小偷肯定早跑了，还在车上等你抓？"

"去什么派出所啊，一去就几个钟头，晚饭都没吃呢……"

她的眼泪在眼眶中打转，每次带钱出门她总是紧张又紧张，谨慎又谨慎。也幸好她很少带钱出门，可是今天竟然就把钱丢了："麻烦大家了……有五千多块钱……是卖了我最重要的一件东西换的……我还有个孩子有心脏病……我没钱给他做手术……"

她泣不成声，话说得断断续续，但车里的人都安静下来。司机转动了方向盘，把车开往派出所。

当车在派出所门口停下来的时候，谈静向每一位乘客道谢："麻烦您了！"

大部分人还是挺善意的，冲她点点头，只有少部分人嘀咕着，埋怨耽搁了时间。

　　在派出所里折腾了好几个钟头，钱没有找到。接警的警察说："没准小偷早就下车了，他们一得手就会下车的。你也是，带这么多现金，怎么不注意点？"

　　谈静不语，眼泪一滴滴落在鞋子上。

　　最后是怎么回的家，怎么上的楼，谈静已经不记得了。

　　直到进门之后，她才想起来自己没有去接孩子。她请了半天假去医院，原本以为谈完就可以去接孙平。但聂宇晟爽约，等他回到医院上夜班已经六点了，而她从医院出来，也快八点了。她原本打算把钱放在家里后再去接孙平，因为钱背来背去不安全。

　　可是她把钱丢了。

　　她伏在桌上，呜呜地哭。她从来没有这样无力过，从聂宇晟的办公室出来，她就觉得自己最后一点希望都快要没有了。虽然聂宇晟话说得非常婉转，但她也明白这个手术肯定风险很高，好几次话到了嘴边又被她咽下去，她没有选择传统方案的能力，可是作为一个母亲，她更不愿意让孩子去冒这样的风险。只是她万万没有想到，会在回家的路上丢了钱。这五千多块，虽然是打算给孙志军的，但她是卖了胸针才换来的。这件事像是最后一根稻草，彻底地压垮了她。

　　或许这真的是报应，她原本不该这样做。

【拾】

第二天她顶着肿得像桃子似的眼睛去上班，同事们当然纷纷用诧异的眼光看着她。不过新工作的好处就是，在这里没人打听你的私事，同事诧异归诧异，却没有任何人问一句：谈静你眼睛怎么啦？

谈静肿着眼睛复印了一堆文件，全部都是盛方庭要的资料，最近整个部门忙得不可开交，因为促销活动开始了。她抱着那一堆东西去交给盛方庭，他正在一边看电脑一边打电话，她把资料放在他桌子上，他也只是点点头，示意知道了。

谈静回到自己的座位上，没过一会儿却接到盛方庭的电话："谈静你到我办公室来一趟。"

谈静还以为他有话忘了嘱咐自己，所以快快起身走到他的办公室。

"坐。"盛方庭又在接电话，示意她坐下来，讲完电话之后，他把手机搁在桌子上，仔细打量她，"你眼睛怎么了？"

谈静没做声，他又问："是不是遇上了什么困难？"

最近她非常努力，常常加班到很晚，他都看在眼里。刚上班的时候她神色忧郁，总显得郁郁寡欢。最近这几天跟同事们熟了，也能看到她笑了，昨天下午她请了半天假，今天上班的时候，就顶着一双桃子眼。虽然他明知道自己不该问，可是关心下属也算是工作的一部分吧。

"不是，是因为一点私事。"

"噢。"他明白自己不应该再问下去，"那你出去工作吧。"

"谢谢您，盛经理。"谈静误会了他的意思，"您放心，我会处理好自己的情绪，不会耽误工作的。"

中午吃饭的时候，Gigi叫她一起。谈静丢了钱，本来没心思吃饭，可是Gigi很热情地招呼她，她也不好拒绝。大部分时间公司同事都在楼下茶餐厅吃饭，因为便宜干净，被他们当成了食堂。起初谈静总是一个人，后来同事也渐渐开始叫她一起了，因为她勤快本分，又不爱搬弄是非。女人的天性都很八卦，同事们告诉她许多八卦，她口风严，能保守秘密，所以Gigi很喜欢她。

Gigi号称八卦女王，公司里任何事情她都知道，她们刚坐下不久，就看到一个漂亮女人走过来跟她们打招呼："嗨，Gigi！"

"嗨！一起吃吧？"

"不了，我老板加班，叫了外卖，我替他下来买杯鸳鸯。"

美女笑靥如花，"这位很面生，新来的同事？"

Gigi趁机向她介绍："我们部门新来的行政助理Helen，这是市场部的Catherine，全公司著名的大美女。"

"什么美女，别听她瞎扯。"Catherine笑眯眯的，显然很开心听到这种恭维。

Catherine走后，Gigi告诉谈静："这个Catherine，暗恋我们盛经理很久了。私下约会过我们盛经理十六次，被拒绝了十五次，最后盛经理答应了赴约，却在赴约时向她摊牌彻底地拒绝了她，让她心碎了大半年。"

谈静很老实地问："你怎么知道？"

"公司还有我不知道的事情吗？"Gigi沾沾自喜地说，"我是八卦女王，可不是吹的。还有，Catherine本来是王副总的秘书，可是副总前阵子心脏病发住院，他老婆从台湾赶来照料他，看到Catherine，觉得她就是个妖精，立刻吵着要副总换一个秘书。董事长没有办法，就把Catherine调到市场部去了。这下我们企划部可倒霉了。"

谈静完全不懂，Gigi叹了口气："凡是我们企划部做的企划案，她都要鸡蛋里挑骨头，连标点符号错了都不行。"

谈静觉得总公司跟下面门店也差不多，只不过这里的勾心斗角更激烈一些，同事之间更客气一些。吵起架来，也不是直接说什么，而是电邮来电邮去，你一个电邮，我一个电邮，动不动还CC其他人，很多电邮之间，都是刀光剑影。

Gigi正讲到兴头上，突然收声，悄悄告诉谈静："看，那个走进来的女人，就是人力资源部的经理舒琴，知道她的绰号么？她叫虎姑婆。"

谈静吃了一惊："什么？"

"别看她斯斯文文，其实比男人还要心狠手辣，死在她手下的经理也不止一个两个了，凡是跟她斗的人，都没有好下场。董事长很信任她，虽然她不是嫡系。"

Gigi没想到谈静是舒琴亲自招进来的，因为谈静的职位太低了，人力资源部随便一个人就能面试。谈静对舒琴的印象也挺好的，短短几次接触，只觉得她精明能干，完全想不到她竟然有个绰号叫"虎姑婆"。

舒琴刚一坐下来，还没点单，就接到聂宇晟的电话。他知道这个时候正是她午休的时间，所以单刀直入地问："有时间出来一下吗？"

"什么？"

"我就在你们公司楼下，有点事情想跟你谈。"

"好，我马上下来。"

舒琴站起来就匆匆往外走，搭电梯下楼，远远就看到聂宇晟的那部黑色别克。他也已经看到了她，所以下车来替她打开车门。

车里空调开得很大，可是他额头上有细密的汗珠，神色也不太对劲。她认真打量他一眼，问："怎么啦？"

"我父亲的体检报告出来，肝部有个肿瘤，活检结果是恶性。"

聂宇晟说完，有点茫然地看着前挡风玻璃，写字楼前广场上，大理石地面反射着白花花的阳光，喷泉水珠在烈日的照耀下，愈发显得刺眼。他手抓着排档，攥得很紧，手心里全都是汗。舒琴什么都没有说，只是轻轻拍了拍他的手背，像安慰。

"以前总觉得他有很多事情对不起我，可是现在想想，我有很多事情，也做得非常过分，他却没有怪过我。"

"别难过了，现在医学手段昌明，先抓紧时机治疗。是要动手术吗？"

聂宇晟轻轻摇了摇头："早上报告一出来，肝胆的几位专家就会诊过了，那个肿瘤的位置太糟了，正好在动脉上，不能手术，只能保守治疗。今天入院，开始放疗和化疗。"

舒琴知道他心神俱乱，所以很直接地问："我能帮到你什么吗？"

"我父亲有很大一个遗憾。我和前女友分手之后，一直没有再交过女朋友，也没有打算结婚。"聂宇晟抬起眼睛来看着她，"你愿意做我的女朋友吗？"

"你是说演场戏给伯父看？"

"我父亲说过，他不需要我随便找个女人，用婚姻来敷衍他，这样对我不公平，对我未来的太太，也不公平。我也是这样觉得的，这几年来，我觉得自己已经丧失了生活的目标，你说不愿意回家，因为屋子里静得像坟墓，而自己像个未亡人，其实我也是一样。但是过去的一切终究会过去，那个人，我会努力把她忘记，我想试试，能不能爱上你。"

舒琴自嘲地笑笑："聂宇晟，你为什么就一厢情愿地认为，我会愿意让你试？"

他没有回答。

舒琴毫不客气地说："我替你说了吧，因为你明明知道，我爱的不是你，是别人，这样你心里不会有愧，因为你根本没有办法，再爱上别的女人，你还是爱你那个前女友。"

"我很抱歉……我把感情想得过于纯粹，把事情想得过于简单。因为你以前常常说，聂宇晟，如果没有办法了，如果等不下去了，如果真的觉得绝望了，那我们就凑合过一辈子吧，总比跟别人结婚，害了别人好。现在我想试一试，如果你愿意，请给我这个机会。"

舒琴看着他："你不打算等了？你觉得绝望了？"

过了足足有半分钟，他才说："是。"

他说这个字的时候，仍旧低垂着头，声音很轻，可是双手攥成拳头，仿佛说的不是一个字，而是一道伤口，致命的伤口。舒琴追问："为什么？除了你父亲的病，还发生了什么事？"

聂宇晟并没有回答她。

下车之后，舒琴眼前一直晃动着这一幕，很多时候她都绝望了，很多时候她都劝自己算了吧，从此就真的放下吧。可是聂宇晟不一样，她总觉得他或许会永远等下去，等着他那个早就消失在茫茫人海的前女友。

她忍不住打了一个电话给盛方庭，他大约还在办公室，不太方便说话，所以电话一接通，语气就非常礼貌和客气："你好！"

她直截了当地告诉他："聂宇晟刚刚跟我谈过，希望我成为他的女朋友。"

盛方庭只沉默了数秒，旋即问她："那么你自己的意见呢？"

舒琴突然大怒："我有自己的意见吗？你任何时候有问过我自己的意见吗？到现在你来问我自己的意见！我的意见就是你最好滚到地狱里去！"她骂了一句脏话，把电话给摔了。

她从来没有想过爱一个人会爱这么久，她也从来没有想过等一个人会等这么久。很多专家说，爱情不过是肾上腺素和多巴胺，时效最多有三个月，三个月后这种激素停止分泌，爱情自然也就没有了，转化成友情或者其他更持久的习惯。而聂宇晟却保持一个固执的习惯，等着一个渺茫微弱的希望，哪怕那个希望他自己都知道，永远不会再来了。她没有听说过那个女人的名字，也没有见过那个女人的照片，聂宇晟从不对她谈起她，就像她很少在他面前提自己的前男友。但她知道聂宇晟仍旧爱着那个女人，他把她深深地藏在他自己的心底，就像她从来不曾存在过一样。

现在他说，他要试一试，能不能爱上别人，然后，请求她给他这个机会。

她却不知所措了。

也许他是真的想试一试，她却觉得，这样突兀的改变，还不如原来的样子。原来他们是朋友，是知己，可以静静地喝一顿酒，也可以在天台上，说几句知心话。他们一度靠得很近，不是情人的那种近，而是心灵的。因为他也知道，她在绝望地爱着一个人，和自己一样。

她觉得自己需要休息，把这一团乱麻似的思绪理一理，重新冷静理智地考虑。

手机"嗡"地一响，是短消息。

聂宇晟发来的，他说："对不起，给你带来了困扰。我太自私了，如果你不愿意，我们仍旧是好朋友。"

她犹豫地没有回复他这条短信。

等她把车子开到家的时候，远远就看到盛方庭的车停在前方。其实从公司到她住的这里，距离并不太近，他一定是接完电话就赶过来，所以才会比她早到。他素来非常小心，这样冒险开车过来，其实已经是在向她表明一种态度。

她觉得十分沮丧，知道自己一定会再次被他说服。

到了晚上的时候，她买了水果和花篮，去医院看聂东远。朋友的父亲病了，也应该去医院看看。聂东远住在贵宾病房，条件相当不错，聂宇晟也在，看到她来，也并没有太意外，接过她手中的水果花篮，说谢谢。

聂东远气色还好，他也知道儿子有这么一个朋友，是在美国的时候认识的。起初他还以为儿子跟这个女人有点什么，但是找人查了查才发现，儿子跟这女人虽然有来往，甚至还留这女人在自己家过夜，但完全只是朋友关系。

"小舒，坐吧。小聂，你招呼一下，把龙井泡一杯给她尝尝。可怜我的雨前，医生不让我喝茶了，我带到医院来，就招呼好朋友。"

舒琴笑着说："等伯父好了，我送伯父一点碧螺春，我们有个同事是洞庭东山人，家里自己炒的碧螺春，可香了。"

"哎哟，听着就馋人。"聂东远说，"晚上吃的是素菜，本来就觉得没吃饱，正馋着。你又一说茶，更馋了，我今天算是知道了，原来茶也是馋人的。"

他们两个说着话，聂宇晟就把龙井泡了一杯，放到了茶几上。舒琴拿起来一看，茶色清亮，嫩芽根根竖在杯中，真是上好的龙井。聂东远还兴致勃勃跟她讲："其实龙井用这种玻璃杯泡最傻了，不过医院里没有好茶具，将就一下。等我出院了，请你去家里喝茶，到时候我们用粗瓷大碗泡你的碧螺春，那才是正宗喝法。"

"伯父果然见识广博，粗瓷大碗泡碧螺春，是有典故的。"

"那当然！碧螺春就是讲究用大碗喝的。茶极细，器极粗。"聂东远说，"聂宇晟都不知道，没想到你知道。"

"聂宇晟就是个书呆子，在美国的时候，他不是在实验室，就是在图书馆，就琢磨心脏啊血管啊，哪会有闲心钻研这个。不过只要打电话给他，说做了土豆炖牛肉，他跑得保证比兔子还快。"

聂东远哈哈大笑，似乎笑得很开心："这小子像我，我小时候最馋牛肉，不过那时候牛是生产队的重要资产，逢年过节也没有牛肉吃的。不过有一年夏天的时候，天气特别热，就把几头牛牵到河里去，水牛……水牛你知道吗？"

舒琴点点头。聂东远说："水牛到了下午晌的时候，特别热，就会把它们牵到河沟里，让它们泡一泡水。那时候生产队特别忙，放牛的人把水牛的绳子系在岸边一棵榕树上，然后就下田挣工分去了。挣工分你们又不懂了，生产队是凭工分给口粮给钱的。这个放牛的人心贪，想挣两份工分，就把牛绳往树上一系，人就下田去了。结果没想到其中有头牛，泡水泡得好好的，也不知道怎么回事，突然就被绳子给绊着了，挣扎了半天越绊越紧，最后困在水里，硬生生给淹死了。等到放牛的人回来一看，淹死了一头牛，哎哟，不能浪费啊，天气又热，赶紧把全队的人都招呼来了，把牛从水里抬起来，杀掉剥皮，每家每户，都分到了一块牛肉。"

聂东远讲得眉飞色舞："我们家也分了一块，在水里泡过的，怕坏，当天晚上就烧了吃了。那个牛肉香的，这是我这辈子第一次吃牛肉，从此就觉得，牛肉是世上最好吃的东西。"

聂宇晟有点诧异，他只知道父亲出身农村，小时候受过很多苦，却从来没听他描述过。父亲常常乐意讲的，是他自己从倒腾贩卖矿泉水起家，到后来做投资，做实业，做地产，在香港上市，成就今日的商业帝国。

接晚班的医生来了，特意到病房来打招呼。聂宇晟走出去跟他说话，聂东远却突然问舒琴："那小子向你求婚啦？"

舒琴吓了一跳，赶紧说："没有。"

"没有就好，我真怕他因为我一病，就随便找个女人结婚。"聂东远说，"哪怕他向你求婚呢，你也别答应他，他那个弯还没转过来呢，该忘记的人不忘记，哪怕再交往个天仙，也白忙活。"

舒琴有些尴尬地笑笑，聂东远说："给他个机会吧，不容易，七八年了，他第一次带姑娘回来让我看。他这个人其实心眼挺实的，能走出这一步，有他自己的诚意在里头，你也不能要求他一步到位，把过去忘得干干净净。"

"他没有要求我来看您，是我自己来的。"

"还不都一样，他要不告诉你我病了，你怎么会知道？"聂东远说，"他选择第一时间告诉你，起码，是拿你当亲人，当最好最好的朋友。"他叹了口气，"我这个儿子，连朋友都少，很长一段时间，我都担心他是不是抑郁症。你很好，在他最困难的时候在他身边，我很感谢你，如果你愿意，给他个机会吧。他把自己困得太久，困得太苦，太需要一个新的开始了。"

夜里十点钟，病房要熄灯了，舒琴才和聂宇晟离开医院，聂东远需要良好的睡眠，以应付第二天的治疗。在回家的路上，她让聂宇晟停车，自己到路边便利店买了一打啤酒。心烦的时候，郁闷的时候，他们常常这样买一打啤酒，在他家里吃火锅。两个人从美国回来之后，都觉得最好吃的菜还是中国菜，而最简单的中国菜，就是火锅。烧个汤底，什么东西放进去涮一涮就行。舒琴工作忙，下班之后也累，做个火锅省心省力。

把火锅烧上，等汤底开锅的时候，舒琴先打开两罐啤酒，说："来，今天晚上一醉方休。"

聂宇晟拿起易拉罐与她碰了碰，两个人喝了一大口。舒琴说："我知道你心里不痛快，你那个前女友，到底是怎么回事？我得弄清楚了，才决定蹚不蹚你这趟浑水。"

"她嫁人了，生孩子了。"

"就这事让你绝望了？"

聂宇晟沉默不语，舒琴说："一看你就是太傻太单纯，我那前男友去年就结婚了，你看我怎么处理的？我给他发了一封电邮，祝他新婚愉快，还给他寄了礼物。痛啊，当然痛啊，痛死自己也忍着，人家有什么义务等你一辈子？你愿意等是因为你傻，你愿意等人家还不愿意让你等呢！"

"我跟她曾经……也有过一个孩子……"

舒琴诧异地看着聂宇晟，明明没有喝两口酒，可是他连眼圈都红了，声音也哑了。

"四十八天，很小的胚胎，B超都不见得能看见，打掉了。"

舒琴没有说话，她只是默默倾听。

"她去做人流的时候，我什么都不知道，还在替她申请美国的学校，我还想既然我父亲不同意，那么我们到美国去，在美国结婚好了。"

"你父亲给她钱了？"

"没有。"他低下头，紧紧捏着那个易拉罐，像是要扼住什么似的，"如果她拿了我爸的钱，我还会觉得，她是因为不得已，因为我爸的压力，才会离开我。"

"那是为什么？"

"她从来没有爱过我，她说。"字字句句都变得那样清晰和难堪，那个雷雨交加的夜晚，自己像个疯子一样站在雨中，听着她一字一句，那样清楚，那样残忍。

"聂宇晟，我是故意的，怀孕我是故意的，去打掉也是计划中的事，因为这样你才会难过。这世上最残忍的事并不是别的，是让你以为自己拥有一切，最后才发现一切其实都是假的。你知道失去最心爱的一切，是什么滋味了吧？你知道失去将来，是什么滋味了吧？我从来没有爱过你，我们两清了。"

两清？怎么样两清？他曾经那样爱着她，最后却是把一颗心掏出来，任她践踏。

"她怎么能这样做，一个孩子，一个生命……被她当成打击我的工具……"

太多难以启齿的隐事，太多痛彻心扉的细节，为什么那个晚上她那样主动那样热情，让他越过了本来不应该的防线？他想过她或许是没有安全感甚至是因为对未来绝望，才会主动把两个人的关系更加推进一步，可是他做梦也没有想到，最后的真相，竟然是这样难堪这样残忍。

在暴雨中他发足狂奔，从她家门口沿着山路跑下去，深夜是一个无边无际的大海，他只想把自己溺死在那绝望的海洋中。

很多次那个雨夜重复出现在他的噩梦中，大雨劈头盖脸地浇下来，似乎永远没有出口，没有尽头。再没有什么比深深爱着的人背叛自己更加难堪，而她一步步地计划，竟然这样阴险这样恶毒。她算准了什么最让他难过，她算准了他会努力为了他们的将来奔走，她算准了他会跟他的父亲翻脸，她算准了怎么样才能给他，最致命的一击。

他把酒喝完，空罐子捏成一团，金属折捏的棱角刺得掌心隐隐作痛，他却笑了笑："罗密欧没有遇上朱丽叶，不是，罗密欧遇上了朱丽叶，可是朱丽叶给了他一刀，还正插在他心口，罗密欧没法挣扎……他也没想过挣扎……就被朱丽叶给杀死了。还有什么比这种事更残忍，你爱的人，往你心口上捅一刀？"

舒琴无语，只是又打开一罐啤酒递给他。

"其实她不知道，只要她说从来没有爱过我，我就伤心得连心都碎了。真不必再画蛇添足，非得弄出个孩子去打掉。她有多残忍啊，一个生命……她怎么能这样……她从来没有爱过我，我爱了十年的女人，她说从来没有爱过我，都是骗我的。她骗我的……而我就这么贱，贱到直到现在，她都若无其事嫁人生孩子了，我还忘不了她。"

聂宇晟喝醉了，舒琴这么久以来，从来没看到聂宇晟喝醉过，因为每次跟他喝酒，最先倒下的人都是她自己。他喝醉了也不闹，就坐在那里，很安静，一罐接一罐喝着酒，以至于她都没有发现他其实已经喝醉了，直到最后他突然颓然地歪倒下去，悄无声息，就像睡着了一样。

她蹲下去扶他，扶不动，拖他，一米八的男人，再瘦她也拖不动，最后一使劲倒让自己一下子坐倒在地。她只好气喘吁吁决定放弃，任由他睡在地毯上，自己进客房，找了条毯子给他搭上。

他睡着了像小孩子一样，微微翘着嘴角，眼角湿湿的，也不知道是泪痕，还是酒渍，又或者是汗滴。舒琴弯下腰替他搭毯子，惊动了他，他拽着毯子，像拽着什么救命稻草，嘴角微动，似乎在说梦话。舒琴听了半晌，才听懂他说的是："求你……回来……"

这个男人啊，口口声声说绝望了，可是在梦里却仍旧祈求着那个女人能够回来。到底要多深沉的爱，才会有这样的卑微。

火锅烧得嗞嗞作响，舒琴给自己夹了一筷子金针菇，太辣了，她又喝了一大口啤酒。很多时候她觉得自己可以被封作情圣了，爱一个人爱到这么多年无怨无悔，可是今天，她自愧弗如了。

聂宇晟又做那个噩梦了，很长时间没有出现过的噩梦。他一个人奔跑在雨中，头上是一道一道的闪电，可是比那闪电更狰狞的，是谈静的话。她说的每一字每一句都像是刀子，每一刀都捅进他的心里，他只想大喊大叫，可是他发不出任何声音，只有暴雨哗哗地被风挟裹着，水像高压枪一样，打在脸上生痛生痛的。他从山上跑下来，车道上出现雪亮的灯柱，那是一部汽车，而他只想迎头撞上去，撞上去就粉身碎骨，撞上去就彻底解脱了，撞上去他就永远不用再这样奔跑在雨中，撞上去他就再也不知道疼痛……

聂宇晟醒了，窗帘没有拉上，太阳正照在床上，他的脸上，他用手挡住那刺眼的阳光。宿醉的头痛让他觉得很难受，可是清醒的知觉又让他舒了一口气，噩梦里的暴雨没有任何痕迹，窗外是艳阳高照的夏日早晨，他只是做了个噩梦，有关谈静的一切，都只是他的噩梦而已。

他起身洗了个澡，换了衣服，出房间才发现舒琴还没有走，见到他打了个招呼："早。"

"早。"

"昨天你喝醉了，我又拉不动你，还以为你要在地毯上睡一晚上呢！结果你睡到半夜，自己爬起来回房间去了。"

怪不得他早上醒过来，连衣服都没脱，袜子还穿着，原来是喝醉了。

"白粥。"舒琴将一个碗放在他面前，"你家电饭煲煮粥不错，回头我也买一个。"

两个人坐下来吃早饭，舒琴还买了油条，方圆全是高档公寓住宅小区，每次早上聂宇晟都是在便利店买个三明治啃啃，也不知道她在哪里找到的油条。不过宿醉的早晨喝一碗白粥，胃里舒服很多。舒琴一边将油条撕开，一边对他说："我决定了。"

"什么？"他错愕地抬头。

"原来你是一朝被蛇咬，十年怕井绳。我决定了，跟你交往看看，看能不能治好你的病。"

"谁说我有病了？"

"别急啊！你没病昨天晚上做什么噩梦，大嚷大叫得我在隔壁客房都听见了。"

"做噩梦那是正常的，哪个人不偶尔做噩梦？"

"做噩梦是正常的，可是没有哪个正常人的噩梦，需要看三年的心理医生！"

聂宇晟终于看了她一眼，舒琴啼笑皆非："你别这样看着我啊，昨天你喝醉了，自己告诉我的，说你看了三年的心理医生，就是因为天天晚上做噩梦。"

聂宇晟觉得很沮丧："我还说了什么不该说的话？"

"有啊，太多了。你还向我求婚呢！"

"啊？"

"跟你开玩笑，真是好骗，跟小朋友一样，说什么信什么。"

他沉默了片刻，才说："我本来就好骗。"

语气中的酸涩，似乎夹杂着无奈，舒琴虽然大大咧咧，也不好意思往他的伤口上抹盐了。她说："对不起，我不是故意的，其实你昨天晚上也没说什么，就是说你自己太傻了。我也觉得你太傻了。这样吧，我们交往看看，你一个正常的男人，我一个正常的女人，没必要做一辈子未亡人，对吧？感情这个东西，是可以慢慢培养的，我们能做好朋友，说不定也可以做男女朋友。"

聂宇晟说："谢谢你，我知道你是想帮我。"

"谁说的，我其实是想帮自己。"舒琴语气轻佻，"你别以为我没人追啊，之所以挑上你，是觉得你长得不错，家里又有钱，还有，最关键是了解我，不会嫌弃我从来没有爱过你。"

最后一句话又说糟了，舒琴看着聂宇晟脸色都变了，连忙给他盛了碗粥："多吃点，我今天这是怎么了，尽不说好话，呸呸！你别跟我计较，我一定是酒还没有醒。"

聂宇晟低下头，过了好半晌，才慢慢地说："是我酒还没有醒。"

【拾壹】

　　盛方庭还是知道谈静丢钱的事了，因为公安局打电话来，谈静正好不在，于是对方就问那么她领导在吗？接电话的正好是个台湾同事，对大陆公检法机关一直抱着一种敬而远之的态度，于是马上把电话转给了盛方庭。

　　盛方庭花了几分钟才弄清楚是怎么一回事，公安局刚刚破获了一个盗窃集团，经常在公交车上作案，追回了不少赃款赃物，所以打电话叫谈静去看看，有没有她丢的钱。

　　盛方庭不由得问："她丢了多少钱？"

　　"五千多。"公安局反扒大队的外联打了快一整天的电话了，口干舌燥，"你叫她赶紧来局里一趟吧，看看有没有她的钱包。"

盛方庭心想这个女人真够糊涂的，五千多，是她一个多月的工资了，怪不得那天她眼睛肿成那样，肯定是丢了钱着急哭的。

谈静抱着一堆东西从行政部回来的时候，邻座的Gigi告诉她："盛经理找你呢，快去吧。"

"好的，谢谢。"谈静已经习惯了同事之间说谢谢，在这里大家都是这么客气，哪怕是刀光剑影，也是笑着说完谢谢才出刀。

她刚从行政部领了一堆办公用品回来，正好把盛方庭的那份拿进去给他。盛方庭正在回邮件，她就把签字笔透明胶带之类的东西，一样样放在他桌上，盛方庭有点小洁癖，桌上的东西永远井井有条，谈静心细，早就注意到了，所以每次拿文件给他，她都下意识摆得端端正正。

盛方庭回完了邮件，看到笔已经插进了自己的笔筒，回形针已经放进了盒子里，即时贴换了新的一盒，而透明胶带也端端正正摆在了它该在的位置上。谈静手指很长，指腹上有薄茧，干活的时候非常利索，似乎习惯了做这样的整理工作。他觉得自己又有点走神了，所以咳嗽了一声，说："刚才公安局打电话来……"

谈静一惊，本能反应是孙志军又闯了什么祸……自己这份工作得来不易，她真不愿意再给上司留下任何不好的印象。盛方庭看到她跟受惊的兔子似的，瞬间双颊就涨红了，低低垂下的眼睫毛不停地颤动，像是一副要哭的样子。

盛方庭有点吃惊，于是问："他们叫你去看看有没有自己丢的钱包，你丢钱了？"

谈静这才知道原来不是孙志军惹事了，不由得松了一口气，可是马上又拘谨起来："是的，我丢钱了……在公交车上。"

"那就去看看吧，公安局的人在电话里也说得不怎么清楚，你去一趟，看看到底怎么回事。"

"谢谢您。"

"没关系。"盛方庭看了看手表，"还有一个多小时下班，你打个车去，或许来得及。"

谈静在试用期，每个月没有交通补贴，叫她打车，她还真舍不得。可是又怕公安局的人下班了，她还是打了个车去了，到了地方才知道，破获的这个盗窃集团相当大，光手机就追回来一百多部，但是现金基本上都被挥霍了，也就追回来两万多块钱，她刚被偷没几天，金额也不小，所以小偷还记得挺清楚，说在哪里扒了一个女人五千多，两下里案情对上了，但是因为追回来赃款太少，所以只能按比例退给谈静一千多块钱。

谈静觉得挺委屈："可我丢了五千多啊，他不也承认偷了我五千多？"

"余下的被他们挥霍了，所以按比例退。"公安局的警察说，"你这运气算好的了，有时候案子破了，却一毛钱现金都追不回来，所有失主都没有退款，那更惨。"

谈静没有办法，只好签字领了那一千多块钱，她在心里安慰自己，能找回来这些，总比找不回来要好。从公安局出来已经是下班时间了，晚高峰的交通拥挤，她不敢再把这钱带在身上，找着个存款机存上了一千，然后把银行卡小心地放在贴身的衣袋里。

盛方庭没想到谈静还会回来加班，他加班是常态，Lily临走前帮他叫了外卖，他吃了两口，觉得胃不太舒服，于是给自己泡了杯热咖啡，回到办公室继续看邮件。可是胃疼得越来越厉害，热咖啡也不太有作用，他皱着眉，一手按在胃部，一手快速地滑动鼠标，心想赶紧把这几封电邮回复了，去药房买点胃药。正在他这样想的时候，外面的办公室的灯突然亮了，明亮的光线透过落地玻璃映进来。外面的同事应该都下班了，盛方庭很诧异，起身打开门，发现是谈静回来了。

谈静看到他出来，倒没有被吓一跳，盛方庭总是加班，有几次她留下来加班，他甚至走得比她还要晚。所以她打了个招呼："盛经理，您又加班？"

"你怎么又回来了？"他不是让她早退去公安局了吗？

"还有事情没做完。"谈静有点惭愧似的，负责带她的Lily对加班总是不屑一顾，说只有无法按时完成工作的人才加班，这是没有能力的一种表现。谈静当时听她这样说，只是垂头不语。根本不敢反驳说那为什么盛经理也加班，难道他没有能力吗？Lily对她似乎隐约有一种敌意，谈静也不知道为什么，所以Lily说什么，谈静都只默默听着。

"别加了，工作是做不完的。"盛方庭皱着眉说，"走吧，下班吧，我打电话给保安，让他来锁门。"

谈静这才发现他异于平常的神情和姿势，他用手捂着胃部，她不由问："盛经理你不舒服啊？"

"胃有点疼，去买点药就好了。"

盛方庭独自一人在国内，工作忙压力大，饮食不规律，所以常常闹胃病，每次吃点胃药他就觉得好了，所以也没太放在心上。谈静看了看他惨白的脸色，还有额头上的冷汗，觉得他肯定不舒服得厉害，于是说："我陪您去买药吧。"

"不用，走吧。"

盛方庭决定停止加班，打电话给保安的时候，就已经觉得这次胃疼得有点异乎寻常。走进电梯的时候，他还守着绅士风度，坚持要谈静先进去，然后自己按下按键。电梯里的灯光本来是十分柔和的，今天他却觉得格外刺眼，他抬头看了看灯，忍不住眯起眼睛。电梯门刚刚阖上，他心头烦闷，嗓子一甜，突然就呕出一口血来。

谈静慌了："盛经理！"

盛方庭整个人已经软下去了，谈静从来没有经历过这种事，扶也扶不起来，看他双目紧闭，倒是胸口起伏，显然还有呼吸。她终于反应过来，连忙掏出手机打120。接电话的人非常冷静，问了问症状，又问了地址，然后告诉她说救护车十五分钟能到。

电梯到一楼了，大堂里有保安，她连忙叫人帮忙。两个保安跑过来帮她扶起盛方庭，他意识不清，怎么叫都没有反应，嘴角还有血迹，衣襟上也全是斑斑点点的血，看上去触目惊心。

谈静努力回想着急救措施，因为孙平的缘故，她从很早的时候就开始自学急救常识。她让保安帮忙把盛方庭放平躺下，然后把他的头歪向一侧，防止他再呕吐噎住呼吸道，然后余下的，就只能等救护车来了。

好在救护车来得挺快，随车的医生简单处理了一下，然后问："你是家属？"

"不，我是他同事。"

"那跟我们一起去医院吧，看样子是胃出血，肯定要住院。"

谈静上了救护车，才想起来自己应该打电话向上级汇报，可是打给谁呢？她的上司就是盛方庭，盛方庭的上司已经是副总了，虽然员工通讯录里有副总的电话，但她也知道自己不应该直接惊动副总。她迅速地想了一遍刚进公司培训时Lily说的话，Lily说生老病死培训升职考核这些事都归HR管，所以HR是很要害的部门。

现在盛经理出事了，自己也没有他家人的联络方式，谈静于是翻出通讯录，打给了HR经理舒琴。

舒琴正在跟聂宇晟吃饭。自从聂宇晟要求和她交往，她也答应了之后，两个人就开始在一起吃晚饭。大部分时间是聂宇晟买菜，她去他那里做饭。因为聂宇晟上白班的话，下班时间比她早，所以有时间买菜，而她实在吃腻了外头的餐馆，所以愿意在家做饭，只是平常做一顿饭就自己一个人吃，做起来也意兴阑珊，现在有聂宇晟，两个人总会吃得比较多，让舒琴很有成就感，所以这种模式就一连几天持续了下来。聂宇晟喜静不喜动，有时候从手术台上下来，话也懒得说。何况现在聂东远住院，每天工作之余，他还要去照料父亲。所以他也没觉得这种见面的方式有什么不好，虽然这样并不能算是约会，但是除了谈静，他没有过别的女朋友。他知道约会应该送花看电影散步数星星，但跟舒琴做这些事他做不来，两个人太熟了，还没有就跟老夫老妻似的，成天就回家吃饭。

舒琴刚把汤煲端上桌子，电话就响了，是个陌生的手机号。她一接，就听到凄厉的鸣笛声，呜啦呜啦似乎离电话很近，还有谈静慌张的声音："舒经理，我是谈静，企划部的Helen。盛经理加班的时候在电梯里昏倒了，他吐血了，我叫了120，现在正去医院，您看怎么办？"

舒琴一惊，忙问："哪家医院？"

谈静还不知道，连忙问跟车的医生，对方说了，她又告诉舒琴。

舒琴一听就知道那医院不是三甲，又追问了几句盛方庭的情况，这才挂断电话，对聂宇晟说："别喝汤了，快帮我个忙。"

"什么？"

"给你们急救中心打个电话，我们企划部的总监胃出血，可能要做手术，现在120送到XX医院去了，肯定不行。我想把他转到你们医院去，你帮忙给找个好点的医生主刀。"

"胃出血一般不需要手术……"

舒琴说："我去年就是在XX医院做微创手术拿胆结石，结果差点搞成医疗事故，把我给气得……反正那家医院不可信，会不会搞成误诊都难说。不管做不做手术，总之得先转到你们医院去，你们医院大，招牌亮，而且你在那儿工作，人熟。"

聂宇晟诧异："你去年做结石手术，为什么不到我们医院做？"

"那不是怕麻烦你吗？你去年考副高职称，忙得没日没夜的，我哪儿敢找你。快点，反正你欠我一个人情，你快点打电话给你们同事，找个好点的大夫给我同事。我现在是你女朋友，你得急女朋友之所急，想女朋友之所想！"

聂宇晟想了想，给急救中心打了个电话，问清楚是谁总值班，然后又打给胃肠的专家，一位副主任十分给他面子，满口答应立刻去医院，看病人情况再决定治疗方案。

聂宇晟说："我从来不欠医院同事人情，为了你，都已经欠了两回了。"

"那我以身相许回报你好了。"舒琴百忙中还逗了他一句，然后打电话给谈静，指挥她转院。

"Helen啊，我是舒琴，我现在联络了普仁医院的急救中心，对，普仁医院，你赶紧让救护车送到普仁去。没事，我们办转院……对，转院。有位刘主任会在急救中心等你们，他是胃肠的专家，余下的事都交给他吧。我会马上赶过来，替你们交押金……"

她挂上电话，对聂宇晟说："走，去医院。你再亲自跟刘主任见面打个招呼，他一定会更加用心。"

"刘主任技术很好，何况胃出血一般不需要手术，就算是具备手术指征，这也是一个小手术……"

"在你嘴里就没有大手术！你就帮忙帮到底，跟我去一趟医院吧！我现在是你女朋友，我有事，你总得开车送我吧？"

聂宇晟无话可说，每当舒琴搬出"我现在是你女朋友"这句话时，他就觉得自己无话可说，只能按照她的要求去做。

进了急救中心，聂宇晟一看是常医生值班，于是问他："刘主任呢？"

"刚送来一个胃出血的急诊，出血量挺大的，决定做胃微创手术，他去三十八楼手术室了。"

"噢！我知道了。病人呢？我们能看看吗？"

"病人送去做术前准备了。"

聂宇晟说："我带病人的同事来了，在哪儿交手术押金？"

常医生还没太想明白病人同事怎么跟他在一起，于是笑嘻嘻地说："从来不值门诊的班，连我们收费处在哪儿都不知道吧？"他叫了个护士过来，领着舒琴去交钱，然后打量了舒琴的背影一眼，问聂宇晟，"那是你女朋友？"

聂宇晟既没有承认，也没有否认，他觉得还不到公开这种关系的时候，而且自己和舒琴的关系，怎么说呢？实在是太简单又太复杂了。而常医生看着他这样子，就当他默认了："终于开窍了啊，全医院的小护士要是知道了，肯定都得心碎成渣。"

"你去年结婚的时候，她们的心就碎成渣了，不用等到现在。"

"哇，聂宇晟，你竟然在跟我开玩笑……我还以为你这辈子永远都只板着脸跟我谈工作……看来你真的是谈恋爱了，谈恋爱心情好……"

聂宇晟觉得没办法跟他沟通，只好闭上嘴。不一会儿舒琴就回来了，常医生主动跟她打招呼，舒琴这个人是很机灵的，而且又做HR，只要她愿意，跟谁都能相处得挺好。她跟常医生聊了几句，就已经知道了常医生姓常，是消化内科的医生，今天晚上值急诊夜班。

"常医生，我们还有一个同事，她在哪儿？"

"徐医生跟她谈话呢，术前谈话，她死活不肯签手术同意书，非得等到你来才签，说负不了这个责任。这不，还在办公室里耗着呢。"

"那我去签吧。"舒琴说，"我这个同事国内没有家属，我是我们公司的HR主管，我替他签字可以吗？"

"当然可以。"常医生说，"我带你们去。"

聂宇晟一进办公室的门，就看到了谈静，急救中心忙乱嘈杂的声音，窗外救护车红白色警灯闪烁，所有光与影的背景，都只衬出她坐在那里，脊背挺直，微微低着头，她的影子被灯光投映在墙上，拉得长长的，孤寂又清远。

舒琴叫了声"Helen"，谈静回过头来，看到聂宇晟，也是一震。可是很快她就站起来，掩饰似地垂下眼睛。

舒琴说："这里交给我吧，你先回家吧，家里还有孩子呢。"

谈静低声说："谢谢您，舒经理。"

"哪里，应该谢谢你才是，等盛经理做完手术，我会告诉他，是你救了他。"

"没有，我只是正好也加班……"

舒琴微笑："那就快点回家吧，路上注意安全。"

谈静又小声说了句"谢谢"，就朝门外走。路过聂宇晟身边的时候，她下意识侧了侧身，似乎连走到他身边太近，都是一种禁忌。

聂宇晟只觉得微微一阵风动，她已经从自己身边走过去了，她走得很快，落步很轻，就像是无声无息的一只什么小动物，胆怯又紧张。

聂宇晟没有回头，他只是漠视前方，在他真正绝望之后，他不愿意再见到谈静。不，是在七年前那个雷雨夜之后，他其实都不愿意再见到谈静。每次见到她，都会让他觉得羞耻和难过。连他自己都不明白，为什么自己像着了魔似的，永远挣不开她的魔咒。

舒琴已经坐下来和医生谈话，有几个问题她不懂，转过头来叫聂宇晟。却发现他完全在走神，眉头蹙得很紧，嘴角微抿，垂在身侧的手，下意识又攥成了拳头。

舒琴觉得很诡异，又叫了他一声："聂宇晟？"

他终于回过神来，他已经有了新的开始，就像她一样，不是吗？现在舒琴是他的女朋友，他不应该再见到她就失态了，这样对舒琴来说，太不公平了。他答应了一声，走近前去，帮舒琴解释了几个手术的术语，然后舒琴很快在手术同意书上签字了。

送舒琴回去的路上，聂宇晟花了很大的自制力，才没有问舒琴，为什么谈静现在成了她的同事。谈静以前是蛋糕店的收银员，过得很窘迫。而舒琴所任职的是一家著名的食品饮料公司，除了西点，在饮料等快消市场也占据不少的份额。他想，难道谈静原来工作的地方，是舒琴公司旗下的连锁店？

命运为什么总是将她送到他身边，其实他早就不愿意再见到她。

第二天谈静上班的时候，全公司都已经知道盛方庭突然胃出血，住院去了。远在上海的董事长在一早的邮件里表达了慰问关怀之心，并提醒全体同事注意身体健康，然后总经理则安排了在盛方庭住院期间，将由企划部的副经理陈生代管企划部的工作。

陈生把谈静叫进办公室，对她说："盛经理在国内没有亲戚，所以公司决定请一位护工去照顾他。这件事由你去办，雇人的费用你开劳务税的票据，拿回来给Lily，她会拿到财务去报销。还有，你是部门的行政助理，盛经理病了，你最近就不要做其他事了，每天都去医院，多照顾一下他。"

"是。"

"快去医院吧。"

"是。"

所谓的行政助理，其实就是在部门打杂的，所以陈生安排她去医院。谈静还没有做过这样的工作，到了医院问其他人，才知道护工在医院就有，找护士长就能找着好的护工。虽然是公司出钱，但谈静还是很谨慎地挑了个看起来既老实又有力气的男护工。

盛方庭已经醒了，晨曦透过窗子映进病房，让他一时之间不知道身在何处。迷迷糊糊看到天花板上垂下钩子，挂着输液的药水。他眨了一下眼睛，听到一个十分温柔的声音："盛经理，你醒了？"

他只觉得全身乏力，昏昏沉沉的，实在是没有力气说话。那个人的身影轮廓朦朦胧胧的，只是一个白色的影子，他还以为是护士，眯着眼睛看了一会儿，才发现原来是谈静。她站在逆光的位置，光线将她整个人镀上一层绒绒的金边，让她看起来模糊而不真实。

"陈经理安排我过来看看您，这是公司给您请的护工小冯，住院期间，都由他照顾您。"

盛方庭点了点头，表示知道了，今天凌晨时分麻药散去，他疼得睡不着，天亮的时候才迷糊了一会儿，现在只觉得十分疲倦。

"医生说您还不能进食，我给您擦下脸吧，这样睡得舒服点。"

温热的毛巾小心地敷到脸上，让他觉得触感温柔，谈静照顾病人非常有经验，手指又轻又柔。她和小冯齐心协力，帮他翻了个身，让他侧着睡，这让他觉得筋骨舒展，似乎连胃部也不那么疼了，他重新睡过去了。

换药的时候，护士对谈静挺友好的，还对她笑了笑，问她："你是病人家属？"

"不是，我是他同事。"

"啊，那我跟你打听个事。昨天来的那个女的……长得挺漂亮那个，也是你们同事，听说是我们医院聂医生的女朋友？"

谈静完全懵了，脑子里一片空白，过了几秒钟，才听到自己的声音，像是从牙缝里挤出来："我不知道……"

小护士的八卦之心只好鸣锣收兵，换完药水就走了。医院下午五点就接班，这时候盛方庭已经彻底清醒了，睡了一整天，他的精神恢复了不少，也有力气说话了。公司几位经理都在下班后来看他，病房里一时很热闹。舒琴也来了，陈经理跟她开玩笑："盛经理，你得好好感谢舒经理，人家可是动用了男朋友的关系，找主任给你开的刀。"

"都是同事，该帮忙的当然应该帮忙。"舒琴笑吟吟地说，"不过，我可巴不得你们一辈子都别找我帮这种忙。"

盛方庭说："不管怎么说，都该谢谢你。咦，你男朋友呢，怎么没跟你一起过来？我好当面谢谢人家。"

"他今天晚上夜班，这时候肯定上班呢。"

陈经理插话说："那舒经理还不顺便去看看他！"

"上班有什么好看的。"

"一日不见，如隔三秋，上班也挺好看的啊！"

"就是就是！"

所有人都哄笑起来，盛方庭有气无力地说："你们这是来看我啊，还是气我这个单身汉啊？"

陈经理笑着说："盛经理快点好起来，快点找个女朋友，快点结婚，让我们每个人送个大红包，就报了这一箭之仇了。"

经理们临走之前，都嘱咐谈静好好照顾盛方庭，好像她真是病人家属似的。谈静只低着头答"是"。等经理们都走了，盛方庭才说："你赶紧下班吧，这里有小冯。"

谈静习惯性地答："是。"

盛方庭觉得挺好笑的，可是他一笑，就牵扯得腹肌疼，所以那一笑还没来得及展开，就皱起了眉头。他说："别唯唯诺诺了，在公司是上下级，在医院可是麻烦你照顾了我一天，应该我谢谢你。还有，昨天谢谢你送我到医院来。我在救护车上醒了一会儿，就看到了你。"

他的语气特别温和，谈静说："没什么，这是我应该做的。"就算是普通同事，她也应该送到医院来，何况盛经理还帮过她大忙。

"好吧，你下班吧。"

谈静笑了笑："明天见。"

"明天见。"盛方庭也露出了一抹笑容，明天他还可以看到谈静，想到这里他的心情就好起来。

谈静去接了儿子，再转车回家做饭。孙平挺高兴："妈妈，今天你不用加班？"

"是啊，今天不用加班。"谈静也挺高兴，"以后十几天都不用加班。"

她天天去医院照顾盛方庭，算作上班，医生交接班她就可以下班走了，这是一份美差。工作内容简单，还不用加班。可以准时去接孙平，母子两个回家吃饭。

在菜场买了菜，谈静正在厨房里忙活，突然听到孙平在外面说："爸爸回来了。"

谈静手中的锅铲不由得停了一下，把煤气的火关掉，走出来看孙志军满脸胡子都没有刮，身上的衣服也不知道几天没换了，一股馊味，倒没有喝醉。一见了她，他别的话都没说，只问："钱呢？"

谈静转脸对孙平说："乖，去看动画片。"

孙平知道大人有话要说，乖乖去房里看动画片了。谈静擦了一下手，找出那张银行卡，说："就只有一千块钱，密码是六个0，你先拿去用。"

"钱呢？"孙志军几乎是吼了，"一千块你当打发叫花子？"

"我筹了五千多，可是在路上被人偷了，我报案了，警察才追回来一千多，不信你打电话去派出所问……"

"行啊谈静，会用警察来吓唬我了。我告诉你，你别敬酒不吃吃罚酒，你以为我稀罕你那钱，你不给我，我找别人要去。"

谈静突然觉得筋疲力尽，她说："你找别人要去吧，你找聂宇晟要去，你看他肯不肯给你。"

孙志军愣了一下，谈静说："我也没别的办法了，该卖的东西我都卖了，这一千块钱，你愿意拿，你就拿去，你不愿意拿，我也想不出别的办法。平平的手术费还没有着落，医院说，哪怕是申请补贴，我们仍旧得出30%，也就是三万多块。可是补贴的那个方案，风险可能要到50%，也就是说，下不了手术台的几率，是一半对一半。你叫我怎么选？做手术，要十几万，我没钱。申请补贴，手术成功几率，才50%，有一半的可能，孩子进了手术室，就永远出不来了。不做手术，活不过十岁……"她抬起泪光盈盈的眼睛，看着孙志军，"你说，叫我怎么办？你找聂宇晟去吧，随便你用什么办法，只要你能找他要到钱，只要他肯给你，随便你怎么样好了。"

屋子里是冷冷的静默，孙志军瞪着眼睛看着她，她抬手擦了一下眼泪，孙志军粗声粗气地说："你想得倒美！"他伸手拿走那张银行卡，转身就走出家门，把门摔得"轰"一响，老房子，震得整间屋子墙角的灰都簌簌地落下来。

孙平悄悄地推开房门，躲在门背后，探出半个小脑袋，怯怯地叫："妈妈……"

谈静连忙把眼泪擦干，走过去蹲下："怎么了，平平？"

"我饿了。"

"妈妈在做饭，马上就好了。"

"妈妈，你又跟爸爸吵架了？"

"没有，爸爸说话一直这么大声，你又不是不知道。好了，再玩一会儿，妈妈去炒菜。"

孙平却抓住了她的衣角，小声说："妈妈，我想梁叔叔了，梁叔叔会带我去公园玩。"

"梁叔叔最近很忙，等到星期天，妈妈再带你去看梁叔叔好吗？"

"好。"孙平忽闪着大眼睛，"妈妈，你给我几颗豆子吧，等豆子发芽了，就是星期天了。"

谈静从厨房里抓了一大把豆子，拿了只碟子浸了些清水泡上几颗，然后余下的豆子搁进豆浆机里，倒水按下开关。今天没有做汤，就打点豆浆给孙平吃饭的时候喝，滤下的豆渣，也正好炒盘菜。

孙平小心地端着泡着豆子的碟子，把它放在了窗台上。一个人对着豆子嘀嘀咕咕，不知道在说什么。谈静炒完几个菜出来，看到豆浆也已经好了，于是把豆渣滤出来，晾在一旁。把豆浆倒了一杯，加上白糖，叫孙平："平平，吃饭了。"

孙平从破旧的沙发上爬下来，先去洗手，然后坐到了桌边，乖乖地拿起筷子。谈静一边给他夹菜，一边问他："平平，你跟豆子在说什么呢？"

"我在许愿。"

"许愿？"

"玫玫姐姐说，外国的童话书里，有一种魔豆，它会长到天上去。只要顺着魔豆往上爬，就会看到巨人，还有很多很多的宝贝……想要什么，就有什么。"

谈静笑了笑，问："那平平想要什么啊？"

孙平咧开嘴笑了："我想要一颗好心……妈妈，我想让巨人给我换一颗好心，把我这颗有病的心换掉，这样我就不用生病了，你也不会着急了。"

谈静心如刀割，却勉强笑着："平平，妈妈会想出办法来的，妈妈会让医生把平平的心治好。"

因为答应了孙平，所以在周末的时候，她就对盛方庭说，双休日自己不过来医院了，因为要带孩子出去看两个朋友。盛方庭很吃惊，他没想到谈静结婚了，更没想到谈静还有一个孩子。一刹那间他几乎失态了，心里说不出是什么滋味。他不了解谈静，也没有打听过她的私生活，经手谈静档案的是舒琴，他甚至连谈静的简历都没有看，就决定把这个人调到企划部来。他对她，真是一无所知。

他对自己的情绪很诧异，但是很快他镇定下来，说："陪孩子是很重要的事情，这几天你也挺辛苦，双休就好好陪他玩一下。对了，是男孩还是女孩？"

"男孩。"谈静谈到儿子，有一种无法自抑的欢喜，让她眉梢眼角都藏不住一抹笑意。盛方庭从来没有见她这样开心地笑过，大部分时候，她都是一种忧郁的神情。

"去吧，好好玩。"

没有谈静的病房，还是那样安静。因为谈静在的时候，基本感觉不到她的存在，而当你需要的时候，她却会第一时间出现在身边。他输液的时候总会睡着一会儿，醒来的时候，就会看到谈静坐在椅子上，很认真地用笔记本回复一些邮件。笔记本电脑是公司配的，她的职位不配新电脑，用的是公司IT部门淘汰下来的二手机，但二手笔记本她也擦拭得干干净净，在她手里，什么东西都会格外受到珍惜。

他曾经在办公室看她把作废的A4纸翻过来，裁成小块当成便笺纸，她并不是小气，她只是惜物。可能贫困的家境才会造成这样的谨慎，不过大方的时候她也挺大方，救护车的费用就是她垫的，连眉头都没有皱一下，过了好几天后，她才连同护工的费用一起，交给财务报销。盛方庭这两天已经可以看邮件了，不过医生只让他看一小会儿，他看到长长的邮件名单里总有Helen，她虽然人在医院，但她自己基本的工作还是做完了，没有让同事代劳。

盛方庭觉得自己想谈静这个人，已经想得太多了。其实当初他把这个人弄进企划部，动机并不纯粹。一个什么样的人才会替你卖命呢？一个明明知道自己没有资格得到这个职位的人，才会替你卖命。这种人安全，好用，是职场里最好的卒子。随时会为你堵枪眼，牺牲掉他们的时候，他们仍旧会感激你，因为你给了他现有的一切，你原本就是神。

但现在盛方庭觉得自己做错了，谈静确实老实、好用，自己说什么，她都会去做。这颗卒子他埋得既深且远，但还没有派上用场，自己反倒被扰乱了。不是因为别的，就是因为她给他带来一种前所未有的，陌生的，甚至让他觉得惶恐的失控感。这种感觉就像是上了一部没有刹车的汽车，你不知道安全阀在哪里。速度太快，快得让他来不及思考，就已经无法下车了。

盛方庭觉得自己要重新考虑这盘棋了，一个卒子，本来就应该只是一个卒子。他不能等人利用自己的疏忽失控，来将自己的军。他要把主动权拿回来，趁着还能够控制局面的时候。

盛方庭决定不再想谈静，把她当成一个普通的下属。他躺在床上，闭上眼睛，脑海里浮现的，竟然还是谈静的手指，拿着那松软湿热的毛巾，温柔地触到自己的脸上。

谈静带着孙平去看梁元安和王雨玲的新店面。在临走前她打过电话给王雨玲，所以王雨玲等在公交站接他们，一见她就接过孙平，笑着问："平平想不想王阿姨？"

孙平大声答："想！"

"哎！真乖！"

店里还在装修，工程基本上已经收尾，新买的大烤箱也已经送来了，被塑料膜包得严严实实，因为店里在贴墙贴，怕涂料滴到烤箱上。梁元安在店里监督装修工人，孙平一见到他就大声叫："梁叔叔！"

"哎！平平来了！快出去，这里头味道太难闻了，对孩子不好。"

几个人在店外头说话，周围都是居民楼，来来往往的人很多，不远处还有一个大超市。谈静看了看，说："这地段真不错。"

"是啊，开个蛋糕店正好。不过超市里也有面包房，但他们的面包，不好吃。"王雨玲兴致勃勃地说，"谈静你放心吧，我们的店一定挣钱！"

谈静只是抿嘴笑笑，梁元安说："走，回家坐坐去，我们已经把原来的房子退掉了，就在这附近租的房子，谈静你还没去过吧？"

"好，我们去看看。"

"买个西瓜带上去，天气太热了。"

梁元安抱着孙平，王雨玲抱着西瓜，孙平在梁元安怀里，扭着身子跟王雨玲说话。王雨玲喜欢孩子，哄得孙平很开心，谈静跟在后面看着这一幕，突然觉得心酸。这三个人多么像一家人，多么像一个正常的家庭。而自己，从来没有能够，让孙平享受过这样的温馨和温暖。

进门之后，梁元安把西瓜抱去洗了，切成块拿出来，大家一起吃西瓜。孙平一小口一小口地咬着，梁元安说："谈静，你看平平这斯文劲儿，真是像你，吃东西都没啥声音，人家孩子吃西瓜，吃得稀里哗啦的，他倒好，吃起西瓜跟绣花似的。"

谈静笑了笑，王雨玲突然想起来："对了，前两天我碰见孙志军了。"

谈静愣了一下，旋即很平静地问："你在哪儿碰见他的？"

"家电城外头，他跟一帮送货的人在一起，像是在等活儿。"王雨玲觉得十分不解，"他不是在开叉车吗？"

孙志军因为打架丢了工作的事，谈静没有告诉过任何人。现在王雨玲问起来，她也只是简单地说："他没干那工作了。"

"为什么啊？开叉车人轻松，挣得又多。"王雨玲不解，"这人就是个败家子，好好的叉车不开，跑去卖苦力。我就是不明白，谈静你为什么嫁给了他，你们两个简直太不配了。"

谈静低下头："什么配不配的，还不就是过日子。"

"他那人是过日子的样子吗？就算是过日子，那也看配不配。你这个人，斯斯文文的，还念过几年大学。他那个人，跟张飞似的，连初中都没读完，跟你站在一块儿，真不像两口子。而且喝酒打牌样样来得，挣的那点钱，还不够他自己花，从来就不管你和平平。我就不明白，你怎么忍得了他，这种老公，有还不如没有呢！"

谈静突然说："他不是坏人……最难的时候，他帮过我。

生平平的时候我难产，大出血，没钱买血浆，他在医院抽了自己400CC的血输给我。平平生下来就有病，睡了七天的温箱，每天就得花一千多。出院的时候，我跟平平的医药费加起来，都两万多块钱了，他在结婚前攒的那点钱，都花在我和平平身上了。当时为了救平平，他四处跟人借钱……我和平平两个人的命，都是他救的……"

"哎哟，那不是应该的吗？他自己的老婆儿子难道他不应该想办法？那他还是个男人吗？"

谈静低下头，没有再吭声。

王雨玲没好气地说："你就是心肠软，就算他当初是不错，这几年他对你对平平，尽过半点责任吗？老婆孩子从来不管，成天就喝酒打牌，输了就管你要钱，你就算欠他的，也早就还清了。"

谈静仍旧没有做声，也许金钱上的债，她早已经还清了。可是有些债，却是永远无法还清的。

吃完西瓜，王雨玲拿了一堆单据出来，说要跟谈静汇报一下店子的情况。谈静觉得不好意思："你们弄就行了，不用跟我说。"

"亲兄弟，明算账，你投了一万多块钱，怎么着也是股东，现在装修差不多快完了，当然要跟你汇报一下。"王雨玲很认真地一笔笔算给她听，租金花了多少钱，装修花了多少钱，买设备花了多少钱，最后预计开业的时候，一共投入进去多少钱。

总数还是挺惊人的，王雨玲说："咱们手头的钱，算上你那一万多，可全用上了，一点也不剩了。不过开业就好了，一开业就有流动资金了。下半年生意好，年前就可以给你分红了。"

谈静笑了笑，说："你们把生意做好，我就放心了。"

她们在那里说话，梁元安哄着孙平玩，拿面粉和了面团，扣进蛋糕模子里，再倒出来，就是漂亮的动物图案。孙平开心地笑，托着那小小的蛋糕胚一路飞跑过来："妈妈妈妈，你看！我做的蛋糕！"

　　"慢点，慢点，别跑！"仿佛是印证她的担心，孙平突然一个趔趄，重重摔倒在地上。谈静冲过去将孩子抱起来，他脸色发紫，全身哆嗦，似乎喘不过来气。谈静将孩子侧放在地上，然后让他上臂和膝关节弯曲，保持呼吸道通畅，她焦虑地按着孩子的脉搏，看到梁元安跟王雨玲都吓傻了，谈静不由得大声说："快打120！"

【拾贰】

　　谈静学过心肺复苏，一边数脉搏一边做心肺复苏，她不是没有想过这一天，只是没想到这一天会来得这样突然，她原以为自己做好了心理准备，可是事到临头，仍旧是一种天塌地陷般的感觉。救护车来得很快，跟车的医生迅速接手，谈静不知道自己怎么上的车，怎么进的急救中心，偌大的急诊室嘈杂的声音，到处都是病人和医生。她跟着推床一路飞跑，连鞋子掉了都不知道，还是王雨玲替她拾起来，追在她后面。孙平被推进了急救室，医生和护士都围上来，她听见跟车的医生在大声地交代病人情况："孙平，男孩，六岁，先天性心脏病，法洛四联症，曾经在我们医院看过门诊，没钱所以还没动手术……"

接诊的医生似乎回头看了她一眼，谈静失魂落魄，根本什么都已经不知道了。

聂宇晟是在手术台上被叫走的，本来按照他的习惯，一般都会在一旁看着缝合才下台走人，但是今天刚看着助手缝了两针，护士进来告诉他，急诊那边有急事找他，他就提前下台，洗手脱了手术服去急救中心。急诊部永远是那样人声嘈杂，各种仪器的声音，病人的呻吟，医生的忙乱……满头大汗的李医生一见着他，就把他往病床边一拖："你的病人，交给你了。"

"什么？"

"孙平，你那个CM项目的病人。"

聂宇晟愣了一下，看着床上那个脸色灰败的孩子，因为心脏供氧不足，整张脸都是紫的，在氧气面罩下，更加显得孱弱不堪。

李医生飞快地向他交代了用药情况和病人的心跳脉搏，然后就忙着抢救另一个心梗病人去了。

李医生的处理都是正确的，聂宇晟看了看仪器上的心电图，觉得不必再用别的药了，径直问护士："病人家属呢？"

"那边。"

他看到谈静低着头坐在那里，大约是没有力气站起来，还有个女人陪着她，似乎在不停地安慰她。她脚上划了个大口子，流着血，没有穿鞋，赤脚就那样踏在鞋上，血把凉鞋浸湿了一半，伤口还在不停地往外渗血，看那样子，似乎是什么东西割的。她就像没有什么知觉，只是很茫然地，盯着她自己的手指。

聂宇晟努力让自己的声音，听上去更平静一些："孙平家属。"

谈静抬起头来,看着他。

"病人现在情况不太好,待会儿护士会给你们病危通知单。你们考虑考虑手术的事吧,不过这种情况下上手术台,风险也挺大的。请务必有思想准备。"

谈静身子晃了一晃,大约是被这几句话打击到了,聂宇晟不愿意看到她惨白的脸庞,转身就打算走人。没想到她突然扑出来,拉住了他的衣服:"救救他!我求你救救他!"

"谈静!"旁边的女孩子叫了一声她的名字就来扶她,周围的医生护士都被吓了一跳,急诊的护士长见多了这种场面,马上过来解围:"哎,你别急!咱们都会尽力的,你快放开医生,医生才好去救病人啊。"

谈静却说什么都不放手,将他的白袍攥得紧紧的,她的眼中满是凄楚,她的声音嘶哑:"我求求你救救他,我求求你了!"她反反复复只有这两句话,聂宇晟从来没见过这样疯狂的谈静,她真的像疯了一样,抓着他的衣服就是不放。她的手指深深地嵌进他的手臂里,抓得他生疼生疼,可是更疼的一个地方,却是心里。他有一种说不出的沮丧和挫败,因为看到她苦苦哀求,看到她像疯了一样歇斯底里,他唯一的知觉,却是心疼。

他曾爱过的女人,他曾视作珠玉的女人,他曾为之痛哭的女人,他曾一千次一万次觉得自己应该痛恨的女人,他曾一千次一万次觉得自己终于不爱了的女人。直到今天,直到此时此刻,他才知道,原来只要看到她痛苦,他仍旧会觉得心疼。

更多的人上来帮忙,所有人都七手八脚地去拖谈静,想要掰开她的手指,却只是徒劳。她就像是一株菟丝草,虽然瘦弱,却有一种拼命似的蛮力,紧紧地依附着唯一的乔木,就是不肯松手。最后是护士长急中生智，说："快！你孩子醒了！你快去看看！"

谈静听到这话，猛然一撒手，聂宇晟几乎栽了个趔趄，旁边的人拉了他一把，他才站稳。旁边的人趁机把谈静推开了，聂宇晟就看到她惨白的脸色，眼神像绝望一样空洞。谈静的指甲划破了他的手臂，旁边的护士看见了，直叫"哎哟"，护士长把聂宇晟推进值班室，一边亲自拿碘酒往聂宇晟胳膊上擦，一边甩着棉签嘀咕："真是什么人都有！聂医生，你吓着了吧？"

聂宇晟没有说话，他的脸色比谈静的脸色也好不到哪里去，一样的失魂落魄。护士长只当他是真的被吓着了，于是安慰他："急诊里头什么人都能遇上，昨天一个喝药自杀的，送来早就没救了，家属那个闹啊……差点没把急救室给拆了……这年头的病人家属，都跟医院欠他们似的……医生又不是神仙，能救不能救，都只能尽人事，听天命……"

护士长已经利索地处理完伤口，对他说："行了，天太热，就不给你包扎，免得发炎。洗澡的时候拿保鲜膜扎上，洗完记得自己擦点碘酒。"

聂宇晟抬起头，对护士长说："您把病人家属叫进来吧，我跟她谈谈。"

"还有什么好谈的啊，先心都不做手术，都拖到这分上了，生生把孩子给耽搁成这样，还好意思闹呢！"

"您把她请进来吧，我有话跟她说。"

护士长嘀咕着出去了，没一会儿谈静被人搀进来，她倒没有哭，就是整个人像傻了一样，搀着她的那个女孩子替她拿着鞋，她脚上还在流血。

聂宇晟看那女孩子还算镇定，于是问："你是？"

"我是谈静的朋友。我叫王雨玲。"

聂宇晟从她手里把鞋接过去，说："王小姐，麻烦你回避一下，我有话跟病人家属说。"

王雨玲好奇地打量了聂宇晟一眼，这个医生看上去似乎很面熟，像是在哪里见过一样。但他一脸的严肃，虽然不像是生气，但是看上去也挺冷淡，拒人千里的样子，只是不知道为什么他会伸手从自己手里，把谈静的鞋拿过去。她以为是有什么医疗方案要跟谈静说，所以虽然满脑子疑惑，但很听话地退出去，还随手带上了门。

聂宇晟回身拿了碘酒和棉签，蹲下来，替谈静处理伤口。那道伤口很深，碘酒触上去很疼，她终于本能地畏缩了一下，有点茫然地看着他。

"谈静，你心里也清楚，你孩子的病拖到今天，手术风险越来越大。你认清一下事实，所有急救措施都是正确的，但目前如果不手术，就只能保守地延缓病情的发展。他现在必须住院，每天的医疗费用，可能要超过三千，你有多少钱，够他住多久的医院？"

她的眼泪掉下来，正好落在他的头顶上，隔着头发慢慢渗入他头顶的皮肤。他手中的动作不由得顿了一顿，她的眼泪是温热的，暖暖的，像是心的一角碎片。他知道心碎的那种感觉，他也知道，此刻的她，根本不是在流泪，而是把已经碎成一片片的心，慢慢地，撕裂开来。原来她也会心碎，为了另一个人。

她伤口里有细碎的砂粒，他用镊子一点点挑出来，当然很疼，但她一声也没有吭，她说："我有三万。"

是上次自己给的那三万块钱？他本能地抿起嘴，压抑着胸中的怒意，冷淡地说："不够手术费。"

"聂宇晟，我求求你……"

他冷冷地打断她的话："我不会再给你钱。"

她不再说任何话，只是低着头，像是一朵被风雨打残的蒲公英。

他已经处理完那道狰狞的伤口，如果这伤口再长再深一点点，或许就需要缝针了。他折好消毒纱布盖上，撕下胶带粘紧，最后，替她穿上鞋。这些动作做完，他才觉得自己有些傻，蹲在地上替她穿鞋，过去也做过，可是现在再做，是真的傻了。在给她穿鞋的时候，到底触到她的伤口，她疼得全身都一哆嗦。在那一瞬间，他几乎脱口想说，谈静，你怎么就这么不会照顾自己呢？可是话到嘴边，他忍住了。他有什么立场说这句话，现在，他们之间的关系，只怕比路人还不如。凉鞋上全是她的血，他随手用纱布擦了一下，也擦不干净。这种塑料凉鞋穿起来，一定会磨到伤口的，即使没有受伤，她也不应该穿这种鞋。

她曾经是他的公主，应该住在城堡里，穿水晶鞋，等着他去请她跳舞。

珊瑚的宫殿早就崩塌，过往的曾经是一段难堪的回忆。只是他管不住自己，只要他稍微不留神，同情心就会溜出来，他总是下意识地心疼她，哪怕，她早已经不必他去心疼。

他直起腰来，用公事公办的口吻，对她说："你筹钱去吧，要么手术，要么住院，都要钱。"

"我想不出来办法了。"谈静麻木地，认命地，像是待宰的羔羊，"我连你的胸针都卖了……家里一点值钱的东西都没有……我也没有朋友可以借钱……"

"那么就先住院吧，你去交押金。不过钱用完，医院就会停药，你要想清楚。"

她突然抬起眼睛来看他，在那么几秒钟，他几乎想要下意识别过头去，不愿意和她目光相接。她的眼中有太多哀求，有太多他不愿意见到的悲伤，还有一种深深的、绝望般的痛楚。她像是被逼到绝路上的野兽，连最后挣扎的力气都没有了。她的嘴唇颤抖着，似乎想要说什么话，就在这个时候，他的手机响起来了。

他几乎是本能地很快地接听，正好借这机会，避开谈静那令人刺痛的目光。

是舒琴打给他："晚上吃什么？"

"我有个急诊，也许要做手术。"

"那也得吃饭啊，聂医生，我可以到医院送饭的，包邮哦亲！"

他有点尴尬，舒琴有时候挺喜欢开玩笑的，但不知道为什么，今天他特别不想接到舒琴的电话，尤其是这个时候。他下意识看了眼谈静，说："等下，我过会儿给你打回去。"

"不方便说话？那我说你听也行，芹菜饺子行不行？我自己买点肉回来剁馅，比外边好吃，而且饺子送到医院，凉了你用微波炉叮一下就能吃。"

"都可以。"他打开门走出去，对舒琴说，"我这里正跟病人家属谈话，没什么事我就先挂了。"

"好吧，那我去超市买菜了。再见！"

"再见。"

他挂断电话，定了定神，转过身却看到谈静已经走出来了，她的脸色仍旧很苍白，但她的声音已经不再发抖了，她像是下了什么决心似的，用一种很平静的声音对他说："谢谢您，聂医生，我马上去筹钱，麻烦您先办住院手续吧。"

然后不等他再说什么，她已经转身朝走廊外走去了，走廊里不分昼夜都亮着的白炽灯，将她的影子，拉得老长老长。他只看到她的背影，萧索得像是秋风中的野草一般，脆弱得似乎用手指轻轻触一触，就会粉身碎骨。

谈静走出来的时候，其实心里是没有任何想法的，关于钱。她在医院中心的小花园里坐了一会儿，来来往往的人很多，她没法让自己的心安静下来。她把自己所有的亲戚和朋友都想了一遍，亲戚……自从母亲去世，她已经和亲戚们都断了往来。朋友，她最好的朋友是王雨玲，而那个即将开业的蛋糕店，已经花尽了她和梁元安的积蓄。在刚刚的一刹那，她差点就说出一句可怕的话来，只差了那么一点点，如果聂宇晟的手机没有正好响起来。他接电话的时候，她很庆幸，生活的苦把她整个人都磨钝了，磨透了，可是她仍旧能猜到是谁打电话来：是聂宇晟的女朋友，护士口中挺漂亮的那个女人，面试自己进公司的，舒经理。聂宇晟接那个电话的时候，整个人神色都不一样，她想，是因为聂宇晟很在乎舒经理吧。

她跟聂宇晟才是真正地般配，举手投足，都像是一路人。不像她和聂宇晟，已经隔着山重水远的距离。也许今生今世，她都不该和他再有任何交集。

尘归尘，土归土，自己做的事情，自己负责任。她撑住自己滚烫的额头，连叹息的力气都没有了，现在她该怎么办呢？

最后她把手机拿出来，打给盛方庭。这个时候他应该输完液了，一般来说，他会趁这时机，上网收发一下邮件，顺便看看新闻。

果然，接到她的电话，他说："我有时间，你过来吧。"

她说有事情想和他谈，盛方庭有点意外，本来她请了假，说今天要带孩子出去玩。但是现在她突然又打电话来说有事情想到病房来跟他谈，语气中除了焦虑，只有疲惫，他想昨天她走的时候，还是挺高兴的，不知道发生什么事，还不到二十四小时，就让她变成这样。

见到谈静的时候，他也微微吃了一惊。电话里她的声音只是疲惫，而现在看起来她整个人，都像是已经换了个人似的。她走路的样子不太对劲，他这才留意到她脚受伤了，从包扎的纱布来看，那伤口应该还挺大。他把目光从她脚上的伤口，重新移回她的脸上，她一定是哭过了，因为她眼角微微红肿。他问："怎么了？发生什么事了？"

谈静不知道从何说起，最后是盛方庭耐心地一句句问，再从她凌乱的回答里，总结出来她遇上的困难：她的孩子有先天性心脏病，现在送到这家医院来了，但是目前她没办法筹到医药费，希望可以预支一部分薪水。

她还在试用期，如此艰难的开口，想必真的是被逼到了绝境。

他想了一想，对她说："对不起，公司没有这样的先例。我想即使我替你向上申请，获得通过的可能性也非常渺茫。"

她低垂着头，轻轻地说："我知道，我只是来试一试。"

其实她也根本不抱希望，只是所有能抱了万一的机会，她都得试一试。

盛方庭突然觉得于心不忍。在职场中，他杀伐决断，从来不给对手留下任何反击的余地。在生活中，他冷静理智，把自己的一切安排得井井有条，很多时候他都觉得自己是个理性大于感性的人。可是不知道为什么，他突然有点厌烦自己的这种理性。

偶尔冲动一下又何妨？

"这样吧，我私人借给你一笔款子，三万够不够？"

"不，不用了，盛经理。"谈静很仓皇地看了他一眼，"对不起，打扰您了，我本来就不该来。"

"你可以当成按揭，发工资后每月还一部分给我。"他说，"小孩子生病最着急，尤其现在急着住院。我借给你，是救人一命。就好比你在电梯里，救我一命。"

"我怕我还不了。"这是句实话，试用期过后能不能留在公司还是一个问号，以她现在的薪水，三万块也要不吃不喝将近一年，才能把这钱还上。何况孙平的病就是一个无底洞，她到底怎么才能攒下钱来？

欠孙志军，那已经是百般的不得已，是她做的最错的一件事。再欠盛方庭，她就更不知道该怎么办才好。

"以你的勤奋，我相信你还得了。"盛方庭习惯了做决定，"就这样。都火烧眉毛了，你还犹豫什么？先让小孩子住院。你再犹豫，孩子可受苦了。"

最后一句话，几乎让谈静的眼泪都快掉下来。她再犹豫，不是孩子受苦，而是快要没命了。作为一个母亲，她实在是没有任何选择的余地。盛方庭对她说："走吧，我陪你去交押金，我知道这里可以刷信用卡。"

聂宇晟重新去看了孙平，他说服自己，作为一个医生，自己尽责就好。但是谈静临走时那个背影，真正让他觉得很难受。他犹豫了一会儿，还是给方主任打了个电话。今天方主任有一台特级手术，还没有下手术台，听说是聂宇晟的电话，知道他不是十万火急，也不会打电话给自己。他手上还拿着镊子，所以让护士拿着电话贴到自己耳边，问："什么事？"

"方主任，CM项目首先确认的那个病人今天病发入院了，家长还没有决定是否接受项目补贴。我看这病人状态不太好，可能等不了了，慈善机构有一个针对我们医院试点的先心补助，但是是针对农村户口的……"

"聂宇晟我惯得你！"方主任气得在手术台上就咆哮起来，"你脑子进水了是不是？明明不符合申请条件你跟火烧屁股似的打电话给我！我平常就是把你给惯的！这病人跟你什么关系？值得你芝麻绿豆大点事，打电话进手术室！我告诉你，聂宇晟，出来我再跟你算账！"

拿电话的小护士吓得眼睛连眨，还没见过方主任发这么大的脾气，尤其还是对聂医生。方主任把头一偏，示意她挂断电话，然后专心致志地继续低头做手术。

聂宇晟被劈头盖脸地骂了一顿，才想起来今天方主任有特级手术，自己这个电话，确实打得太不合适。旁边正忙着的李医生都听到方主任在电话中的咆哮，他给了聂宇晟一个同情的眼神，然后说："你也真是，忙昏头了吧？"聂宇晟苦笑了一下，他不是忙昏头了，永远就是这样，只要一遇上谈静，他就昏头。

但马上，他就忙昏头了。救护车送来一个放暑假的孩子，才十岁，在父亲的工地上失足，摔到了现浇未凝固的钢筋混凝土上，体内插进去四根钢筋，伤及多个内脏，大外科会诊，打开一看，一根钢筋正好顶到心脏下方。心外科一个主任在做特级手术，一个主任外地开会去了，一个主任国外进修，还有一个主任也在手术室。大外科的主任想也没想，说聂宇晟呢，刚才不看到他正好在急诊，叫上来做心脏。

公认心外科除了几位德高望重的权威，年轻一辈里技术最好的也就是聂宇晟了，手术室里光各科室负责人就有四五个，聂宇晟临时被叫上来，顿时全神贯注，想办法取钢筋。那根钢筋的位置特别不好，稍微动一下，就会伤到心脏更深。他跟胸外的医生搭档，耗尽心力费了不少功夫，才把钢筋小心翼翼给抽出来，等心脏下方的伤口处理完，才发现自己出了一身冷汗。

余下的人都还忙着，他从台上下来的时候，肝胆外科的韩主任也做完了肝小部切除，因为另一根钢筋也穿透了肝脏。韩主任跟他一起走出来摘手套洗手，问他："今天怎么没去看你爸爸？"

"下午急诊总有事，忙昏头了。"

他这才觉得饿，前胸贴后背，抬头看下钟，已经是晚上七点了。

"外面有记者，咱们从后边走。"

好几家媒体守在外边，孩子在工地上被救的时候，媒体就赶到了，一路跟到医院。这么严重的伤势，所有人的心都揪着。院办的行政人员出来应对媒体，说目前还在进行手术，情况不是特别乐观。受伤孩子的家长连嗓子都哭哑了，媒体马上现场呼吁捐款，因为这台大手术做下来，家长根本没钱付医药费。

韩主任摇了摇头，叹了口气。聂宇晟也叹了口气，成天在医院，这种事情已经太多了，多到所有人都觉得麻木了，所以他为了孙平打电话给方主任，方主任才说芝麻绿豆大点事。急诊里躺着的哪个病人不是性命攸关？急诊里躺着的哪个病人不是命悬一线？最多的时候聂宇晟一天做五台手术，活了三个，死了两个，救活的病人家属痛哭流涕，没抢救过来的病人家属亦是痛哭流涕，他能怎么办？他又不是神，他只能尽力。

他搭电梯下楼，接到住院医生的电话，告诉他孙平收到病房了，因为是他的病人，所以特意来问问他还有没有什么医嘱。聂宇晟愣了一下，谈静还是找到钱了，这个女人比他想像的有办法。他说："我去看看病人情况吧。"

"三十九床。"

凡是尾数为九的病床都是加床，医院常年人满为患，排期手术永远安排不过来，走廊里都加床给病人住院。去年医院又新建了一幢大楼，仍旧是不够用。

聂宇晟觉得很累，手术台上站了三个小时，晚饭也没吃，还要见谈静。

他已经觉得，见谈静比做最复杂的手术还要耗费心力。每次见到她，他都宁愿自己从来没有认识过她。

让他意外的是，病房里除了谈静和王雨玲，还有盛方庭。聂宇晟记得这个人是舒琴的同事，胃出血还是自己找人安排的入院。盛方庭还穿着病号服，一见了他，很是客气："聂医生，还没有谢谢你！"

他只好与盛方庭握手，盛方庭听说他是孙平的主治医生，顿时转过脸对谈静说："聂医生人很好，你就放心吧。"

谈静没有吭声，聂宇晟俯身看了看仪器上的心电图，又问了护士几句话，还没有写医嘱，就听到外面有高跟鞋嗒嗒的声音。跟着有人推开门，声音甜美："聂医生，你女朋友给你送饭来啦！"

舒琴拎着一保温桶的饺子，微笑着站在推门而入的护士后头，看清楚屋子里的人之后，她不由愣了一下。倒是盛方庭先跟她打招呼："舒经理！"

"盛经理！"她看着穿病号服的盛方庭，再看看一脸憔悴的谈静，完全没弄明白这是怎么回事。

"谈静的孩子住院了，我过来看看。"盛方庭轻描淡写地说。

"噢！"舒琴挺关心地问，"怎么了？要不要紧？"

"咱们别挤在这儿了。"聂宇晟对舒琴说，"你去我的办公室等我。"

他并不喜欢舒琴跟谈静站在同一间屋子里，尤其都站在他面前，总让他有一种感觉，感觉自己背叛了什么似的。明明他早就已经跟谈静结束了，明明舒琴也不是小气的人。但他总觉得自己不应该，让这两个女人待在一起，尤其是待在自己面前。

"盛经理，也去我办公室坐会儿吧。"

"不了，我该回病房去了，过会儿护士要量体温测血压了。"

舒琴跟他去了办公室，盛方庭也走了，聂宇晟临走之前，眼角的余光看到谈静镇定了许多，也不像下午那般绝望似的，她静静地坐在儿子的病床前，全神贯注地抚摸着输液的那只手，好让冰凉的液体能暖和一些。他想，自己到底在想什么呢？为什么把早已经结束的事，把早已经清楚明了的事，还弄得一团糟？

舒琴没意识到他情绪有什么不对头，在她看来，聂宇晟永远都是这样子，太累，懒得说话。而且她来了之后，听说他刚做完一台外科会诊的大手术。记者们都还没走呢，那个摔在工地里的孩子，也没有脱离生命危险。

保温桶里的饺子还是热的，她坐下来看聂宇晟吃饺子，他明显没什么胃口，但仍皱着眉头，跟吃药似的，一口口咽下去。在食堂吃饭的时候，纵然不合胃口，他就是这样强迫自己进食的。他需要食物，下午的手术让他几乎耗尽了体力。

"我们给那孩子捐点钱吧。"舒琴突然说，聂宇晟差点被饺子噎着，抬头看了她一眼，问："怎么突然想捐钱？"

"那孩子看上去多可怜啊，才那么点儿年纪，就吃这么大的苦。"舒琴动了恻隐之心，"你成天在医院里，都变冷血了。"

他并不是变冷血了，他只是……嫉妒。

他突然觉得再也咽不下那饺子了，哪怕是勉强自己，也咽不下去了。他说："你愿意捐你捐，反正我是不会再给钱给她的。"

"再给钱？"舒琴莫名其妙，"你已经捐过了？"

聂宇晟闭上嘴，他说错了话，他太累了，精神都恍惚了，管不住自己的嘴，还有，也管不住自己的情绪。看到盛方庭的时候，他敏感地觉察到一点什么。盛方庭是谈静的上司，上次就是谈静送盛方庭来的医院，现在孙平住院，盛方庭从病房过来探视，他总觉得谈静跟盛方庭的关系，已经超越一般的上级和下属。他们之间一定有点什么，他不愿意将谈静想得太难堪，但他就是嫉妒。

嫉妒那个人，可以正大光明地站在那里，公开地，坦然地，关心着她。

"四根钢筋，我听见就一哆嗦。现在留守儿童太可怜了，好容易暑假能到父母身边来，不是溺水就是出这种事。刚才护士还跟我说，除了心脏，还有肝脏、脾脏、肺都受伤了，肋骨骨折……一个孩子遭这么大的罪，真是可怜。我不管你捐不捐，反正我打算待会儿给两千块钱给那孩子的妈妈，看着哭得真可怜啊。"

聂宇晟这才知道自己完全想岔了，他问："你是说捐钱给工地上摔下来那孩子？"

"当然啊。"舒琴莫名其妙，"你以为我说捐钱给谁？"

"没什么。"他掩饰地又夹起来一个饺子，闷闷地咬了一口，明明是鲜美的食物，但他只是觉得咽喉刺痛，艰难地咽了下去。

吃完了饺子，聂宇晟跟夜班的同事打了个招呼，就跟舒琴一起去肝胆病房看聂东远。肝胆的病房跟心外的不在同一幢楼里，他们下楼的时候，正好遇见王雨玲上楼。王雨玲还认得聂宇晟，跟他打招呼："聂医生。"

聂宇晟点点头，看王雨玲手里拎着盒饭，估计是出去给谈静买饭了，怪不得刚才在病房没有看到她。医院外面小贩卖的盒饭又贵又不好吃，他说："门诊后面有食堂，西红柿炒蛋八块钱一份。"

王雨玲完全没想到他会主动告诉自己这些，连忙道谢。总觉得哪里不对劲，走进病房看到谈静，突然悟过来是哪里不对劲了。她一边拿盒饭给谈静，一边说："哎，我刚才碰到聂医生了，有件事好奇怪。"

谈静根本没有胃口，接过盒饭拿着筷子，也不过拨弄了一下饭粒。王雨玲自顾自地说："他竟然跟我说，门诊后面有食堂，这倒也罢了，他还告诉我说，西红柿炒蛋八块钱一份。哎，谈静，他怎么知道我要买西红柿炒蛋？你胃口不好的时候，就只吃得下西红柿炒蛋，你说这个人是不是神了啊？他连我要买西红柿炒蛋都知道……"

谈静恍若未闻，只是夹了一筷子白饭送进嘴里，食不知味。

王雨玲还在喋喋不休地说着什么，他还记得她一遇上事，就吃不下别的东西。这样细小的习惯，其实是被谈静妈妈养成的。小时候她一病，妈妈就给她做西红柿炒蛋拌饭吃，酸酸的，开胃。后来胃口不好吃不下东西的时候，她就只能吃西红柿炒蛋。她怀孕的时候害喜害得厉害，后面几个月都是吐过去的，吐了吃吃了吐，顿顿西红柿炒蛋。

"想什么呢？"王雨玲终于觉察她的走神。

"没什么，想怀着平平那会儿，什么都吃不进去。"

"你别担心了，现在都住在医院里了，你的经理又借了钱给你……"

"手术费还是没着落……"谈静的眉头深深地皱着，她心酸地叹了一口气，"有时候我在想，把他带到这个世上来，到底是对的，还是错的。"

"呸呸！你到底在胡思乱想什么，平平的病又不是你害他的，谁不盼孩子健健康康平平安安的啊……"

所以她才给孩子取名叫平，平安的平。在刚生下来就被确诊为先天性心脏病的时候，她只想孩子可以平平安安地长大，这是她最大的心愿，也是她唯一的心愿。

舒琴也觉得聂宇晟挺奇怪的，他话少，很少主动跟陌生人搭讪。连跟她这个老朋友在一起的时候，也是她说的话永远比他多。她不认识王雨玲，以为是哪个病人的家属。聂宇晟跟王雨玲说话她并不奇怪，遇见病人家属对他客气打招呼，他一般也会挺客气地答话，但说到西红柿炒蛋，这简直太不像他的风格了。

走出楼里，她忍不住说："如果我没记错，你好像从来不吃西红柿炒蛋，还对番茄酱那种东西深恶痛绝。"

聂宇晟看了她一眼："想说什么就说吧。"

"你怎么知道刚才那病人家属要买西红柿炒蛋？"

"她拎的盒饭，透过盒盖看得到，有红有黄的，当然是西红柿炒蛋。"

舒琴一时语塞，说："真没想到你观察能力这么敏锐啊！"

"我们做外科医生的，常常要在分离组织的几秒钟内找到血管，这不是敏锐，这是专业本能。"

舒琴没再说什么，聂宇晟觉得自己挺可耻的，那么多年过去了，他仍旧还记得谈静那点习惯。他从来没有在食堂买过西红柿炒蛋，却脱口对王雨玲说出了它的价格。也许每次看到这样菜，他并不是视而不见，而是太不愿意记得，却偏偏没能忘记它的价格。

【拾叁】

　　聂东远精神还不错，就是放疗化疗一起，让他脸色变得很差，也开始掉头发，吃不进东西。见到儿子他挺高兴，见到儿子带着舒琴，就更高兴了："小舒，怎么拿着保温桶，带什么好吃的给我？"

　　"您不是忌口吗？没敢带吃的给您，怕被医生扔出来。聂宇晟加班，我给他包了点饺子。"

　　"姑娘，别对那浑小子太好了，对他太好，他就不识抬举了。下次包了饺子记得分我一半，医生说我可以吃饺子。"

　　舒琴笑着答应。聂宇晟出去跟值班的医生说了几句话，又重新进来，翻看聂东远的一些病理数据。聂东远说："别看了，你老子一时半会儿死不了。再说你又不是这个科室的，你懂什么啊！"

"大概的东西我还是懂的。"聂宇晟把检查报告放回原来的位置，淡淡地答。

聂东远住的是贵宾病房，很宽敞，条件也很好。墙上挂的液晶电视正在播新闻，恰好说到下午摔在工地的那个孩子，送往医院做了七八个小时的手术，现在进了ICU。

聂东远说："咦，这不是你们医院吗？这家长怎么带孩子的，怎么把孩子带工地上去了？出这样的事，真危险。我得给房地产那边的总经理打个电话，咱们工地上可绝不能出这种事。"

聂宇晟说："农民工的孩子，放假进城无处可去。不过这工地的管理确实有问题，不应该让未成年人进去，又没戴安全帽，摔下来多处脏器受伤，头部还有外伤，整个外科为这孩子忙了一下午，我做的心胸部分，有根钢筋正好戳到心脏，再往前几毫米，估计就没命了。"

聂东远听得直皱眉，说："那这伤能好吗？"

"看运气。熬得过今晚，说不定情况会乐观一些。"

电视里在播医院里就有人给孩子家长捐款，聂东远想起来："这孩子医药费要多少？"

"不知道，ICU那么贵，看他要住多久，算上前期抢救手术费，肯定要过二十万。"

"你去跟病人家长说，这费用我包了，放心给孩子治。"

聂宇晟诧异地看了父亲一眼，聂东远也不是不做慈善，东远集团在贫困地区援建过十几所希望小学，还曾经带着记者去黔西南山区搞各种慈善活动。聂东远对慈善的真实态度却是不屑一顾的，他支持慈善的原因很简单，一来是公司形象需要，二来是可以合理抵税。

"活到今时今日，才明白钱是什么，命是什么。"聂东远挺伤感似的，"我都不知道能不能活到瞧见自己的孙子，救人家孩子一命，积点德。"

舒琴连忙说："伯父您别悲观，其实专家不也说了，保守治疗效果好的话，再生存十年八年都是正常的。现在科学这么发达，国内外的新药都多，治个几年，没准又有什么新药出来，就彻底痊愈了。"

聂东远说："我不是催你们结婚。"他叹了口气，说，"只是命里有时终会有，命里无时莫强求。以前总觉得自己跟别人不一样，哪怕是老了，也不会像那些老糊涂。现在才知道，原来真的老了，想法还是跟别人一模一样。一个人可以活到老，退休了，在家没事带带孙子，真是天大的福分。"

聂宇晟不能不说话了："爸，您别胡思乱想了。好好配合治疗，下个星期，还要开董事会呢。"

"对啊。"聂东远打起精神来，"你把这两件事办一办：一是打电话给房地产的蒋总，让他跟乙方施工单位，把工地管理规范再强调一下；二是打电话给张秘书，让他到医院来，把这孩子的医疗费给交了。"

自从他病后，他偶尔也支使聂宇晟做点事情，大部分是像这样的小事，聂宇晟于是说："蒋总的电话我没有。"

"张秘书那里有，你先打给他。"

张秘书是多么机灵的人，一接到聂宇晟的电话，连夜到医院来，代表聂东远个人先捐了十万给那受伤的孩子，打到医院账户做住院押金，还说后续费用将由东远集团慈善基金负责，实报实销。孩子的家长只差千恩万谢，聂宇晟见不得那种场面，早就回避到一边，压根就没有露面，至于聂东远，当然更不会露面。

不过张秘书办完这件事之后，还是去聂东远的病房找到了聂宇晟，将一份通讯录交给他："这是集团下属所有公司的老总联络方式，还有集团总部的高层和中层管理人员的通讯录。"

"给我这个做什么？"

"聂先生病着，又住在这医院里，有时候我不在他身边，他要打个电话什么的，肯定找你比较方便。"

"好吧。"聂宇晟没当回事，就把那通讯录收下了。

"还有，聂先生说要给蒋总打电话，您别忘了。"

"我知道。"

聂宇晟没觉得这是什么大事，看了看时间不算太晚，就给那位东远房地产的蒋总打了个电话，转达了聂东远的意思。蒋总在电话里很客气，答应明天就召开紧急会议，通知全国的分公司会同乙方一起，督促施工单位清查工地，规范制度，搞一个安全月竞争。说完了公事，又照例问了问聂东远的病情，安慰了聂宇晟几句，这才挂了电话。

聂宇晟离开医院的时候，已经是病房的熄灯时间了。在车上，舒琴终于忍不住笑出声来。聂宇晟觉得莫名其妙，问："你笑什么？"

"我笑啊，你是孙悟空，你怎么样都翻不出如来佛的掌心。"

"你是说我父亲？"

"是啊。"舒琴笑吟吟地看着他，"他叫你打电话，你就打电话，你有没有想过，你这是以什么样的身份在打电话？"

"还能有什么身份，不就是他儿子。"

"我猜……那个蒋总肯定对你很客气。"

"我父亲的下属，一直都对我很客气。"

"今天晚上可不一样，难道你不觉得他特别客气吗？"

聂宇晟终于想了一想，说："特别客气倒没有，不过他说要搞一个什么全国各分公司工地的安全竞争月，问我觉得怎么样，我对他们那行一窍不通，压根不知道他为什么要问我的意见，只说你们看着办吧。"

"太子爷啊太子爷，人家都把你当下一任的董事长接班人看待了，人家当然会问你对他提出方案的意见。你还叫人家看着办，遇上你这种老板，职业经理人也倒霉。"

"我只是替我父亲打一个电话给他……"

"人家都当你太子监国了，你还蒙在鼓里呢。"

"我父亲说过，他不会勉强我接手他那一摊事。"

"那你打算把整个东远集团怎么办？他们是上市公司，说句不该说的，伯父若是有个万一，所有股权归你继承，到那一天，你打算怎么办？你对全体股东说，我不懂，我也不打算管，你们看着办吧。"

"乐观地来讲，起码几年内不会发生这种状况。"

"所以这几年时间，令尊要未雨绸缪，一步步把你引入管理岗位。聂宇晟，认命吧，谁叫你是独生子。"

"我不是独生子，我父亲还有一个孩子，所以，我一度以为，自己永远也无法原谅他。"

舒琴吃了一惊，完全呆若木鸡。

"我从来没有告诉过你……事实上，除了你之外，我只告诉过另一个人。"

聂宇晟握住方向盘的手，不知不觉加紧了力道，仿佛捏着的并不是方向盘，而是命运的咽喉。十年前那个台风夜，他在滂沱大雨中离开家，去寻找谈静。在那时候他觉得自己被全世界遗弃了，单亲家庭生长的孩子，对家庭、对父母的爱有一种异常的敏感，这也是起初他为什么下意识亲近谈静的原因。因为她也是单亲家庭。

谈静打开门见到是他，那种眼神他一辈子也忘不了。她把他拉进屋子里，拿毛巾给他擦头发，他全身的衣服都湿透了，贴在身上冷得他直哆嗦。他问："谈静，如果我一无所有，你还会不会喜欢我？"

那时候她怎么回答的，她说："哪怕你是街头的乞丐，我也仍然喜欢你！"

十七八岁的少年，对爱的定义，仍旧只是喜欢。谈静比他小，那天却一直抱着他，像抱孩子似地抱着他，哄着他，第二天他就发起高烧，她却不能不回学校去上课。她拿过一只碟子，装上些许清水，捏了几颗豆子放在碟子里，微笑着对他说："等豆子发芽了，我就回来了。"

那么多的往事，曾经一起度过的岁月时光，欢乐的记忆，痛苦的记忆，原来都在脑海里，从来不曾有片刻的隐退。

这么多年，每当他一个人独处的时候，总是习惯拿一碟清水，放几颗豆子，搁在窗台上，看着它慢慢发芽，渐渐长高。豆苗起初是白胖白胖的，后来会渐渐变成绿色，到最后，会长成又细又长。

起初的心酸，最后终于变成了一种顿悟。谈静永远也不会回来了，不管他怎么样等待，不管他怎么样期盼，不管豆苗长到了多长。甚至这种等待的起初，就是一个悲剧的开始。哪一颗豆子可以在清水碟子里长出豆荚呢？它不过会长成豆苗，最后因为没有根基没有营养，慢慢枯萎。就像他和她的恋情，发芽的起初，是那样简单的憧憬，可是注定了，不会有真正的结果。

舒琴并没有追问还有谁知道这个秘密，她也没有追问聂东远另一个孩子是什么样的人。她知道聂宇晟需要的，并不是安慰或者别的什么，他只是需要一个秘密的出口。在他得知这件事时，他肯定受过深深的伤害，虽然他表面上看去冷漠又清高，但他其实是个内心又敏感又柔弱的人。他把爱情和亲情都看得太重，用情太深，所以根本伤不起，一次伤害，常常会要了他的命。

从前他得知真相的时候，想必会非常惶恐也会非常痛苦吧，那个时候安慰他的，或许正是那个前女友。他唯一曾经分享过这个秘密的人，他唯一曾经，全心全意信赖过的人。

也是他唯一这么多年，从来不曾真正放下的人。

舒琴突然觉得聂宇晟很幸运，有些人一辈子也遇不上那个让自己刻骨铭心的人，有些人遇上令自己刻骨铭心的人，最后却渐行渐远。聂宇晟却不一样，他把心底最深处的一切，都曾经跟那个人分享过，他曾经全心全意地爱过一个人，即使最后受到了伤害，可是他也拥有过，一段最无怨无悔的时光。

最后聂宇晟下车的时候，她才对沉默了一路的聂宇晟说："不要责怪你的父亲，他并没有对不起你什么，倒是对不起另一个孩子。"

"我知道。"聂宇晟无限酸涩地笑了笑，"早就已经过去了，其实，说出来也挺轻松的。这么多年，我终于肯对人说这件事了。"

他已经忘记了，早在多年前，他其实已经对另一个人说过这件事，但是那是不一样的吧。舒琴心想，他还是将她视作朋友，视作知己更多。而那一个人，却是他生命的一部分。他从不把那个人当成是外人，所以从来不觉得，跟她分享这些会有什么困难。

"早点睡，别想太多。"

"晚安。"

“晚安。”

舒琴启动车子，重新驶入主干道，两侧楼宇的灯光，也已经渐渐地稀疏下去。城市开始进入梦乡，闹市的霓虹还是闪烁不停，但很多人已经睡了。

万家灯光一盏盏熄掉，路上的车也比白天少了许多。舒琴把电台打开，电台里正好在播放一首情歌，沙哑的嗓音逸出：

我从来不曾抗拒你的魅力

虽然你从来不曾对我着迷

我总是微笑地看着你

我的情意总是轻易就洋溢眼底

……

生平第一次我放下矜持

任凭自己幻想一切关于我和你

你是爱我的 你爱我到底

生平第一次我放下矜持

相信自己真的可以深深去爱你

……

她终于忍不住，打电话给盛方庭，说：“你为什么要借钱给谈静？”

他大约是在病房里，所以背景声音十分安静，他说：“同事之间，理应互相帮助，而且她救过我，你也知道。”

舒琴咬了咬牙，说：“你从什么时候开始当这种心地善良的好人了？难道你早就知道了什么？为什么不告诉我？”

“我也是刚刚才发现，她似乎跟聂宇晟的关系不太一般。”

“聂宇晟看她的眼神都不对，她一定就是聂宇晟的那个前女友。我刚刚试探了一下，但聂宇晟什么也没有说。”

"舒琴，"盛方庭的语气非常平静，"你不要太投入。你这样会让我误解。"

"你不是从来没有担心过我会爱上聂宇晟吗？"舒琴忍不住冷嘲热讽，"比起他来，你真是更像一个魔鬼！"

盛方庭轻轻笑了一声，说："魔鬼跟魔鬼才会永远在一起，你我是一样的人，我永远也不会担心，你会爱上天使一样的聂宇晟。所以，也请你放心，我对聂宇晟的前女友，不会有任何别的想法。"

谈静一晚上都没有睡好，病房里陪床的家属都各显神通，一位老婆婆好心地告诉她可以租躺椅睡觉，不过一晚上要八十块钱，她没舍得花那钱，用两把椅子拼起来，半坐半躺，迷糊了大半夜。护士每隔两小时会来看一次监护仪器，检查氧气和点滴，她更睡不着了，到天亮的时候刚刚迷糊了一会儿，外面的走廊就热闹起来。早晨交接班查房，所有的医生都来了。

今天是周日，并不是大查房的时间，但是方主任昨天恰巧做了一台特级手术，今天早上照例过来看病人术后的情况，既然他带队，查房的队伍当然是浩浩荡荡。

病房里本来就地方不大，一拥进来那么多医生，顿时显得到处都是白大褂。方主任一个个病人看过去，轮到孙平的时候他很仔细地询问了一些问题，所有人的心都提着，人人都知道聂宇晟今天肯定要倒霉，昨天方主任在手术台上大发雷霆的事，差不多整个科室都知道了。今天早上查房，凡是聂宇晟的病人，方主任都是一个个亲自问的。果然方主任连医嘱里一个拉丁文药名写得稍微潦草了一点都没有放过。从处方是否书写规范一直讲到了医疗用药安全性，虽然他提都没提聂宇晟的名字，也没拿正眼看聂字晟，所有人都低着头听训话，谁都不敢打断方主任滔滔不绝的批评，最末了还是一位科室副主任解围："七床的病人凌晨四点上了呼吸机，您要不要先过去看看医嘱，九点您还有个会……"

方主任就算不给别人面子，也得给副主任面子，所以他没再说什么，撂下单板夹转身就走，浩浩荡荡的大部队一拥而出。聂宇晟走在最后面，他本来已经走出病房了，突然又折返回来，拿起单板夹，从上衣口袋里摸出钢笔，仔细将那个拉丁文单词又一笔一画重新描了一遍。

他受了委屈的时候还是会孩子气地抿着嘴，唇形好看得像两角微微翘起的小元宝，谈静站在很远的地方看他改医嘱，刚刚一大堆人里头，她刻意没有看他，现在只有他一个人了，她避也避不开。他拇指上沾了一点碳素墨水的污渍，写完到处找纸想擦一擦手，最后没找着，还是急急地进了洗手间，把手洗干净。水哗哗地响着，他走出来时甩过双手了，可是手指上还是湿的，所以拿胳膊夹着笔记本。

走廊里有人问："聂宇晟呢？快，主任找他！"

他飞快地走出去了，三十岁的人了，最后那一个箭步还像是十七八的小伙子般敏捷，不显得毛躁，只显得稚气。谈静有些心酸。分别再重逢，从来没有一次见面的印象像今天早上，今天早上的聂宇晟就像是十年前的聂宇晟，还是那个在学校里表面沉默骨子里反叛的少年。

病房里重新安静下来，谈静心里很乱，她坐下来，看着病床上孙平的脸，孩子呼吸很吃力，胸膛起伏着，嘴唇仍旧是紫的。谈静觉得自己像台风中的一棵树，被命运的风雨摧打得太久太久，已经快要支撑不住了。

即使九点钟就要去开会，查完房后，方主任仍旧在办公室花了整整半个小时的宝贵时间痛骂聂宇晟。所有人路过主任办公室时都轻手轻脚，唯恐弄出任何动静让方主任迁怒。几个博士在外头连大气都不敢出，埋头写病程，连平常话最多的护士长都像在自己嘴上贴了个创可贴似的，一声也不吭。

"知道我为什么骂你吗？你最近到底怎么回事？跟个浮头鱼似的，晕头转向的！别以为还没出什么大错，我看照你这样子下去，迟早要出大事。你自己说，到底怎么回事？你成天满腔心事的在想什么？我们做医生的，任何时间，任何地点，都要冷静理智地考虑问题。你昨天怎么回事？那个孙平跟你什么特殊关系？你连医保之外的药一分钱也不开，有些药是必须用的，必须你懂么？你是替病人省钱呢，还是在要病人的命？！"

聂宇晟终于小声地说："我跟他……没什么特别关系……就是他们家条件不好……"

"没什么特别关系你打电话进特级手术室？"方主任又忍不住咆哮起来，"我还以为天塌了呢，你打电话来叫我救命！"

"我忘了您在做手术……"

"忘了？"方主任的声音又高了一个音阶，"还说你不是昏头！你自己站在手术台上也忘？我告诉你，你要再是这样成天不知道在想什么，总有一天会把止血钳忘在病人胸腔里！别以为自己忘了自己在干什么是小事，你这是没有医德！"

门外的一个进修医生推着仪器来，本来想举手敲门，隔着门听到最后一句话，又吓得缩回手来，看了看旁边一本正经写病程的博士们，那几位都朝他做了一个杀鸡抹脖子的动作，那进修医生吓得把仪器又悄悄推走了。

最后方主任开会时间到了，才悻悻地走了，临走出办公室的门，还甩下一句话："你好好反省反省。"

聂宇晟低头走出主任办公室，方主任带的博士中年纪最大的一位姓董，平常最会照顾人。聂宇晟年纪小，又因为方主任格外偏疼的缘故，老董也就一直拿聂宇晟当编外的同门小师弟看待，从来都忘了他有双学位而且不是方主任的学生。此刻就安慰他："爱之深责之切，换了别人他才不费这种力气呢。"

"就是就是。"另一位博士小闵推了推眼镜，说，"聂师兄你别气馁，老妖最疼的就是你。他是风清扬你是令狐冲，他这是恨铁不成钢！"老妖是方主任的绰号，也只有几个弟子敢这样太岁头上动土，公然给他起绰号。方主任是那种技术好一切都好的主儿，只要工作技术好成绩好，他能把学生宠上天去。

"小闵你这比方就不对了，老妖若是风清扬，令狐冲也应该是大师兄老董啊！你看看老董那种腔调，多像令狐冲。就聂宇晟这副招女人喜欢的模样，怎么着也是杨过，不应该是令狐冲！"

"令狐冲难道不招女人喜欢吗？怎么任盈盈就死活看上他了呢？再说聂宇晟怎么可以是杨过呢？他要是杨过，你我岂不成了全真门下？我才不要跟那些牛鼻子臭道士是一路货色……"

"杨过怎么是全真门下？杨过应该是古墓派！不过古墓派也不怎么好……全是些心理变态的女人……"

几个人七嘴八舌地开着玩笑，临床医学博士苦，方主任手下的临床医学博士，就更苦。别的导师那里或许还可以睁只眼闭只眼，送礼走关系找门路，方主任手下你若是不够优秀，就甭想毕业。功课又紧手术又多，所以博士们成天苦中作乐。平常只要听他们胡说八道一会儿，聂宇晟都能觉得重新放松起来，可是今天他真的觉得沮丧。因为方主任说得对，最近他不知道自己成天在想什么，频频犯小错，再这样下去，真的可能会酿成大祸。

看到他走神，小闵同情地说："聂师兄，你真是被老妖骂傻了……"

"小聂是为家里的事烦心吧。"老董打断小闵的话,还朝他递了个眼色,"你也别着急了,肝胆跟肿瘤的两个主任那天一起来找老妖,我都听到了。伯父的病情其实还是挺乐观的,保守治疗的话,几年时间没有问题。"

"谢谢,"聂宇晟终于苦笑了一下,"谢谢大家,我最近确实是昏头了。"

"谁遇上这种事不着急啊。"老董拍了拍他的肩,"明天晚上的夜班我跟你换了,你上我的白班,你最近是太累了,需要休息。"

"谢谢。"

"谢什么,上礼拜那手术,我差点切错了血管,幸好你眼疾手快及时阻止,不然老妖知道了非把我大卸八块不可。大恩大德,我就拿一个白班来跟你换,太划算了。"

今天聂宇晟还有排期手术,中午他独自在食堂吃饭,结果遇上来买饭的王雨玲。她找错了食堂,这里不对外营业,是医生食堂,排队买饭都要刷医院内部的饭卡,王雨玲排了半天的队才知道搞错了,正打算走,聂宇晟已经站起来,替她买了两份饭。

"一份西红柿炒蛋。"他对橱窗后的大师傅说,然后转过脸来问王雨玲,"你吃什么?"

"芹菜肉丝。"

"还有份芹菜肉丝。"

王雨玲拿着一个崭新的饭盒把西红柿炒蛋装好了,另一份芹菜肉丝她就在食堂吃,她看到聂宇晟旁边就有空位,于是就坐下来了,引得周围小护士一片窃窃私语。很多人都喜欢看聂宇晟吃饭,可是很少有小护士敢坐到他对面去。他气场太强大,往那儿一坐,从来都是一副拒人千里的模样。仿佛手里拿的不是吃饭的筷子，而是柳叶刀，面对的也不是什么饭菜，而是手术台上的病人，一脸的严肃冷漠。所以护士们花痴归花痴，却很少走过来跟他坐同一张桌子。王雨玲倒没觉得，她就觉得聂宇晟是个好人，帮自己刷卡买饭，所以掏了一把零钱出来给他："谢谢你啊，聂医生。"

"不用客气。"

王雨玲见他没有接那叠钱，于是就放到了桌上。医生们都讲究，钱多脏啊，王雨玲心想，他当然不愿意吃饭的时候用手去接。她一边吃一边问聂宇晟："您怎么知道我要买西红柿炒蛋？"

"昨天看你买盒饭了。"

"哦，对哦！"王雨玲恍然大悟。

聂宇晟低头吃饭，心中只在暗暗痛恨自己，早上被方主任骂了个狗血淋头，他也下定决心好好反省，可是一见了王雨玲受窘地站在那里，他就马上走过去帮忙刷卡。昏头啊，昏头！现在不仅见了谈静就昏头，见了跟她有关的人，他也昏头，这样下去怎么得了。

王雨玲却鼓足了勇气，开口问他："聂医生，我是三十九床病人孙平……孙平妈妈的朋友，孙平的病……到底怎么样……"

"最好尽快做手术。"

"那手术费到底要多少钱呢？"

"十来万吧。"聂宇晟仔细地把丸子汤中间的葱姜都挑出来，说，"现在病人情况不稳定，风险大，没准术后就要进ICU，费用比较高。"

王雨玲说："今天我看新闻，说是昨天送到医院来的那个孩子，有位聂先生捐了十万，还说后期费用都负责了……护士们说，这位聂先生就是您的父亲，东远集团的董事长。孙平家的情况我都知道，他们绝对拿不出来十几万手术费……"

聂宇晟搁下筷子，淡淡地问："你想说什么？"

"聂医生，你人这么好，能不能跟医院说说，帮孙平也找个好人来捐款，救救他……或者，跟聂先生说说……"

"医院不是慈善机构，捐款也不是每个人都有。心外科里住了两百多号病人，儿科里还有十几个心脏病儿童，除了一个慈善机构提供对农村户籍孩子的先心手术资助，没有其他任何社会组织有捐赠计划。对不起，王小姐，我帮不到你。"

王雨玲说："可是昨天那个孩子……"

"昨天那个孩子有人肯捐款是因为有社会新闻有影响力，而我父亲正好看到了新闻动了恻隐之心所以愿意捐，像孙平这种情况，医院没有办法，我也没有办法。我不会为了我的病人，去要求我父亲捐款，他是他，我是我。"停了一停，他说，"何况我跟孙平的家长谈过，有个CM公司的贴补手术计划，不过需要采用CM的心脏修补材料，但病人家长至今没有同意，所以这个方案也就搁浅了。"

王雨玲不明白谈静为什么不同意那个贴补手术方案，所以她去病房送饭给谈静，就问起这件事，谈静说："风险太大，超过五成了。"

王雨玲这才明白，她也不知道说什么才好，只看着谈静用筷子拨拉着饭盒里的饭。王雨玲叹了口气，说："那个聂医生，倒真是好人。这饭还是他替我买的呢，有个那么有钱的爸爸，他自己倒是一点架子也没有。不过一提到聂董事长捐款的事，他的脸就板起来了，好像十分不高兴似的。哎，谈静，咱们孙平怎么没有人家孩子那运气，人家孩子出事，聂医生的爸爸一捐就是十万，还说全力救治，所有医药费他都包了。这样的事，怎么我们就遇不上呢……"

谈静低着头，扶着筷子的手指都在微微发抖，过了许久，她才听到自己艰涩的声音，她说："我是自作孽，不可活。"

"说什么啊，谈静。"王雨玲压根没听清楚，她说，"跟蚊子哼哼似的。"

"没什么。"谈静打起精神来，"我得过去盛经理那里看看，明天是周一，公司肯定会有很多邮件，我先看他那里有什么需要我帮忙的，你帮我看着一下平平。"

"好。"

"要是平平醒了，就打我手机。"

"知道了知道了。"

谈静走到走廊的尽头，那里有一个公共的洗手间，很少有人用，因为现在病房条件好，每间病房都有独立的洗手间了，走廊里这个洗手间，除了偶尔有医护人员用，很少有人进来。谈静进去的时候一个人也没有，她躲在洗手间里，痛痛快快地哭了一场。

要有多少眼泪，才可以减轻心中那压抑的痛楚？要有多少眼泪，才能洗清对往事的追悔？她真的觉得自己是做错了，她根本就没有能力给孩子好的生活，却把他带到这个世界上来，让他刚生下来就吃苦，一直到现在，还在病房里昏迷不醒。疾病没有击垮她，最困难的时候她也咬牙忍过去了，可是现在命运快要击垮她了。

她再也撑不住了。

聂宇晟进洗手间的时候，就隐约听到隔壁有人哭，是个女人的声音，哭得很压抑也很痛苦。在医院里常常有人哭，尤其是半夜，当他拖着疲惫的身躯从急诊手术室出来，听到家属的啜泣，常常让他在恍惚里有一种错觉，仿佛正在哭的那个女人，是他的谈静。

因为谈静哭起来就是那样压抑的声音，她连大声哭都不会，只会小声地啜泣。过了很久他才强迫自己改掉这种错误的判断，因为每次路过哭泣的家属他都会强迫自己看一眼，看清楚，那不是谈静。这一招非常狠也非常管用，让他可以立时清醒过来，遇上任何人哭，他都会强迫症似地想要看一眼。聂宇晟觉得自己又昏头了，谈静的儿子成了他的病人，就住在心外的病房里，所以他成天都不知道在想什么。他大步走出洗手间，回到值班室，找到护士长，把她拉到一边，说："你找个人去洗手间，有个女人在里面哭，我怕出事。"

护士长也怕出事，以前出过病人在病房跳楼的事，闹得全医院鸡飞狗跳，不是医疗事故也上下不宁好几个月，所以医院防这种事防得最严，行政部门把住院病房楼道所有的窗子都加固成只能开一条小缝，病房的窗子外头也都有铁栅栏，对外说是防盗网，其实都这么高了小偷爬不上来，防的是有人跳楼。

所以护士长听聂宇晟这么一说，亲自去了洗手间。过了好半晌才回来，坐在聂宇晟的桌子对面，只是摇头叹气。聂宇晟问："怎么样了？"

"你的病人，三十九床那孩子的家长，一个人躲洗手间哭呢。看我进去，连忙擦眼泪，装成没事一样。看着真是作孽，我怕她想不开，劝了半天才回来。"

三十九床的家长……聂宇晟过了两秒钟才反应过来护士长说的是谁，不由得愣住了。

很多次当别人哭泣的时候，他总担心是谈静。可是真正谈静就在一墙之隔哭泣的时候，他却没有能听出来。时光到底偷走了什么……让他们之间的距离变得如此遥远，如此陌生……他过了好半晌，才说："那现在她人呢？"

"说是要去看一个也在我们医院住院的同事，走了，我看着她进的电梯。"护士长说，"应该没事。"

聂宇晟知道她应该是去看盛方庭，原本的情绪又变得复杂起来，他走到窗前，心外科的病房在三十楼，这里太高了，从这么高望下去，底下行人都是一个个小黑点，哪里还认得出来哪个是谈静？

他苦涩地想，也许自己永远就只能这样，站在一个遥远的距离，无法靠近，也不能靠近，朝着一个方向，期待着她的出现，而真正当她出现的时候，他却或许已经认不出来是她，因为他和她的距离，已经太远太远了。

盛方庭正在回复邮件的时候，听到走廊上响起熟悉的脚步声。他已经可以把谈静的脚步声跟医生护士的区分开来，因为她落脚很轻。跟他同住一间病房的病人出院了，现在他独自住在这里，在处理公事的时候，他就打发护工小冯去楼下的花园休息，这样病房里更安静。他点击了发送邮件，然后合上笔记本电脑，谈静果然出现在病房门口，她的精神不太好，眼睛底下还有黑圈，但是她很努力地笑了笑："盛经理，今天觉得怎么样？"

"挺好的，医生说我下周可以出院。"盛方庭问，"平平怎么样？你好好照顾他，就不用过来了，这里有小冯，他做事挺细心的。"

提到孙平，谈静脸上那一抹强笑也没有了，她深深地皱起眉心："平平还没有醒，医生说他太虚弱了，所以在昏睡。"她说，"其实我是想来跟您讨个主意，您的眼光见识都远高于我，我也没有什么亲戚朋友可以商量，所以想来问一问您。"

"尽管说，我可以帮忙的一定帮忙。"

谈静迟疑了一会儿，问："您有没有遇上过特别为难的事情？"

"当然有，人生不会永远都是彩虹，所以人人都会遇上困难。"

"那您有没有恨过一个人？特别特别地恨……因此做了一件，本来不应该去做的事情。"

"我是一个普通人，有时候也会有恨，也做过不该做的事情。"盛方庭说，"其实每个人都会犯错，每个人也都有可能做本来不该做的事情，我们是凡人又不是圣人，做错了也没什么。"

谈静轻轻地叹了口气，低下头："可是后果很严重。"

"任何事情都没有我们想像得那么严重。"盛方庭说，"我刚刚到上海工作的时候，在工作上犯过一个特别特别严重的错误，导致整个亚太区的供货商，接到一份错误的报价单。我心想完蛋了，我一定会被公司开除，但事实上我立刻向我的上司汇报我的错误，一直层层向上甚至惊动了亚太区副总裁。最后公司决定给我一个机会，我在半个月内飞了十六个国家，去向所有供货商当面道歉并且签订新的供货合同。回到上海后，我还被扣掉了三个月的薪水，但是后来我拿到的价格非常的优惠，公司决定让我留下来。不久后我升职，因为我见过所有的供货商，而且后期的合作关系一直良好。所以天无绝人之路，你不要把错误想得太严重，也许塞翁失马，焉知非福。"

谈静怔怔地出神，其实盛方庭也没想到自己会把这件事讲给她听，也许今天的谈静太无助了，无助得让他觉得，自己一定要说点什么来鼓励她，也许她是真的被孩子的病压垮了。

谈静终于抬起头来，问："如果有两个选择，一个选择会伤害到很多人，而另一个选择，也会伤害到很多人……"

"中国有一句话，叫两害相权取其轻，职场上也是这样，哪个选择造成的损失少，就选择哪个。"

他刻意强调了职场，谈静又怔了一会儿，最后终于下定决心，说："盛经理，谢谢您，我知道该怎么办了。"

盛方庭想了想，又说："在做出重大决定之前，要郑重，争取考虑到所有可能发生的问题。而做出决定之后，哪怕结果并不理想，也不要后悔，因为已经尽力了。"

"谢谢您，盛经理。"

"不客气。"

"还有……从下周一开始，我想请一个礼拜的假……"

盛方庭知道她要在医院照顾孙平，于是说："没关系，下周我还在医院，公司一定会安排你继续在医院照顾我，不用算请假，如果公司打电话来，我会协调。"

谈静十分感激："谢谢您。"

谈静走后，盛方庭重新打开笔记本电脑，这个女人到底想问什么呢？他知道她已经做出了一个重大的决定，可是这个决定到底是什么呢？盛方庭看着窗外的斜阳出神，他对谈静的一切都开始好奇，尤其当他发现她与聂宇晟有关之后。其实她看上去很柔弱，可是骨子里却很执著，也很坚强。生活也许给她带来的是更多的磨难，但她似乎从来没有被打倒。只是这两天她看上去格外憔悴，似乎命运的重击已经让她摇摇欲坠。

盛方庭叹了口气，或许，这就是一个有孩子的女人，有孩子的女人从来是打不倒的，除非她们的孩子出了事。

【拾肆】

　　谈静回到病房后，就找到了值班室。聂宇晟正跟一个医生在说话，她站在值班室门口，好容易积攒起来的勇气似乎又快要没有了。幸好聂宇晟一抬头看见了她，她的声音里还带了一丝怯意："聂医生，我想跟您谈谈。"

　　另一位医生知道她是病人家属，于是拿着东西出去了。聂宇晟像是对所有病人家属一样冷淡而礼貌："请坐。"

　　谈静坐下来，她习惯性地绞着手指，每当她犯愁的时候，她就会有这种下意识的小动作。现在她的手指肚上有薄茧，指甲坑洼不平，没有光泽，旁边还有倒刺。这是缺乏维生素和营养不良的表现……聂宇晟强迫自己将目光从她的手指上移开，公事公办地问："有什么事吗？"

"我想申请CM公司的补贴，我想尽快给孩子动手术。"

聂宇晟有微微的错愕，他掩饰地打开手边的一份资料，目光却落在某个虚空的点上："你考虑好了？手术风险你非常清楚。"

"我考虑好了。"谈静心一横，"我没钱做常规手术，短期内也筹不到做常规手术的钱。就申请项目补贴吧，现在孩子这个样子，我拖不起了。"

聂宇晟终于看了她一眼，她眼底有盈盈的泪光，瞳仁倒映着他的脸，非常清楚。自从重逢之后，他胸口一直像压着一块大石一般，缓不过气来。起初他只是恨，恨这个女人为什么这么多年还若无其事，过着完全跟自己无关的生活。后来恨意渐散，余下的只是无力，对自己的一种无力感。

谈静却似乎不太想和他目光相接，她低下了头，就在她低头的那一瞬间，聂宇晟看到她发顶间银丝一晃，头发里面夹杂着很醒目的一根白发。她竟然有了白头发。

他怔怔地看着那根白头发，谈静比他还要小三岁，她今年不过二十七岁，竟然有白头发了。

一个二十七岁的女人或许还在跟男朋友撒娇，一个二十七岁的女人或许还在跟闺蜜逛街忙着买新衣买奢侈品……

他看着那根白头发，心里一阵阵地难过，可是最后他什么都没有说。他从桌上的一堆资料中找到那份申请表格，他说："你把表填一下，最后的签名，要按上手印。"

谈静接过那张表，她的手指在发抖，聂宇晟正要缩回手，突然看到一大颗眼泪，落在表格上，眼泪落在纸上，迅速地洇润开来，像是一朵凄凉的小花。这已经是短短两天内，她第二次哭了。不，第三次，今天下午的时候，她还躲在洗手间里，一个人哭过。

　　聂宇晟觉得有点透不过气来，有一刹那，他几乎想要伸出手去，抚去她脸上的泪水。可是他什么都没有做，什么也不能做，他撒开手指放开那份表格，就像是突然被烫到了一样。谈静抬头看着他，她的脸上全是泪痕，她问："聂医生，我想最后问你一句，如果……如果身为医生，你是否建议，做这个手术？"

　　他嘴角微动，最后却强迫自己，以职业的冷静和理智来回答："根据病情的现状和你们的经济状况，我建议你接受补贴，尽快手术。"

　　谈静的头一点一点地低下去，低到不能再低。她声音小小的，像是寒风中火苗的余烬，飘摇得几乎令人听不清楚，她说的是："谢谢您。"

　　谈静拿着那份表格，起身往外走去，她的脚步沉重得近乎蹒跚，她的背微微佝偻着，像是背负着一个无形的、让她无法承受的重负，聂宇晟突然觉得，她可能会一夜之间头发全白，就像武侠小说里写的那样。不知道为什么，他想追上去对谈静说，不要做这个手术，比常规手术风险更大，你还是想办法筹钱去吧。

　　可是她是筹不到钱的，他心里也十分清楚，连孙平的住院费都是别人替她付的，刷卡的凭条订在病人的资料卡上，信用卡支付，支付人签名是盛方庭。盛方庭凭什么帮她付钱？孙平住院，难道不应该是孩子的父亲想办法筹款吗？谈静永远比他想像得要复杂，盛方庭，她的上司，凭什么替孙平付几万块的住院押金？

　　也许她选择贴补方案自己应该高兴才对，如果她选择传统手术方案，说不定那个盛方庭会慷慨地掏出十万元来，替孙平做手术。她到底有什么魔力，让男人一见了她，就晕头转向？

　　聂宇晟控制不住自己，把孙平的病历抽出来，狠狠地扔在了桌上。

谈静直到下班之前才填完表格，但她不是自己送回来的，而是让王雨玲拿到医生值班室来。王雨玲把表格交给聂宇晟，问："聂医生，什么时候能动手术？"

"快的话，下周三或者周四。"

"哦。"

聂宇晟把那份表格装进资料盒里，打算下班。这时候电话响起来，是舒琴的声音，她问："伯父好点没？"

"今天还没顾得上去看他。"

"正好，我已经快到医院门口了，跟你一起过去。今天我煲了汤，给伯父送过来，省得他说我对你太好。"

"好。"

"聂宇晟，你怎么听上去不太高兴？"

"没什么。"他掩饰地说，"太累了。"

"又刚从手术室出来？聂医生啊，这样下去不行，你又不是铁人，别把自己逼得太紧了。"

"我知道。"

"不跟你说了，我到医院停车场了，你快过来吧。"

聂宇晟去停车场接了舒琴，接过她手中的保温桶，闷不做声低头走路。舒琴跟他说话，他也是心不在焉。舒琴说："你今天到底怎么了？"

"没什么，就是累。"

"平常累也没看你这么蔫啊？"

他找到一个借口："今天被主任骂了，回头在我父亲面前，别提这事，不然他又要说在医院能挣到几个钱，还总是挨骂。"

"主任为什么骂你？手术台上犯错了？"

"没有，工作上的事，说了你也不懂。"

舒琴笑嘻嘻地说："看来女朋友就是没有知己待遇好，以前你可是什么都愿意跟我说，现在我多问你几句，你就嫌烦。"

聂宇晟没有搭腔，他只是默默地走路。舒琴心想看来真是被主任骂狠了，平常她跟他开这种玩笑，他一般都会辩解说哪有这回事，可是今天他似乎连话都不想说，无精打采。

去到聂东远的病房，却扑了一个空。原来那个工地上摔下来的孩子度过了危险期，醒过来了。聂东远去了ICU，说是要去看看那个命大的娃娃，聂宇晟跟舒琴在病房里等了一会儿，聂东远才回来。

他虽然被张秘书搀着，可是精神极好，脸色也红润了不少："小舒你来啦？你真应该跟聂宇晟去看看那孩子，真是坚强，还没力气说话，可是已经醒过来了，护士说什么，他都会用眨眼睛来表示，眨一下是要，眨两下就是不要，真是个乖孩子！"

聂宇晟说："明天周一大查房，我会过去看看的。"

聂东远瞥了他一眼，说："怎么啦，跟霜打的茄子似的。"

"没什么，太累了。"

"累就休息，哪有你们医院这样的，没日没夜地上班，做手术！简直是压榨剩余劳动力！"

"爸，您手下的员工也经常加班，拿张秘书来说，他哪天不是二十四小时待命，到现在还在加班呢。"

张秘书连忙说："我其实早已经下班了，我只是来看看聂先生，不算加班。"

聂东远眯起眼睛，又打量了儿子一眼："这么大的火气，谁惹你了？"

"没什么。"

"放屁！"聂东远眉毛一挑，"你是我生出来的，你那心眼里在琢磨啥我不知道？说，是跟同事吵架了，还是你们领导训人了？"

舒琴笑着解围："伯父真是厉害，什么都知道，今天他们主任骂他了。您看，什么都瞒不过您。"走过去打开保温桶，"我给您炖了虫草乌鸡汤，这还热着呢，您趁热喝一碗，凉了不好喝了。"贵宾病房里有厨房，聂东远住进来之后，秦阿姨每天都过来送饭，有些菜就直接在厨房加热，所以锅碗瓢盆，一应厨具都是全的，舒琴进厨房拿了汤碗和勺子，就出来盛汤。

聂东远当着舒琴的面，也没说什么，接过汤碗尝了尝汤，就夸舒琴手艺好。然后说："聂宇晟打小挑食，我就犯愁他哪天别把自己给饿死了，结果遇上你，偏偏这么会做饭，真是算他运气好，饿不死了。"

舒琴只是笑笑，盛一碗汤给聂宇晟："你也喝一点，我炖得挺多的，这汤不能回锅加热，明天我再炖。"

"我不饿。"

舒琴还没说话，聂东远说："不给他喝，没良心的东西，白眼狼，谁对他好他咬谁。"

舒琴笑了笑，回去的路上，她对聂宇晟说："哄着老人家一点儿又何妨，毕竟他在生病。"

"对不起，我今天太累了。"

舒琴说："你不像是累了，倒像是有心事。"

"有件事，我不知道自己做对了，还是做错了。"

"说来听听。"

聂宇晟不做声了，他如何向外人讲述自己和谈静之间的种种？那些过去的事情，像是一根针，扎在他的心尖上，动一动，痛，不动，仍旧痛。他知道自己的想法不对，舒琴不应该算外人，他下过决心结束一切，重新开始自己的生活，但是阴差阳错，谈静偏偏总是出现在他的视野里。

"如果Mark不爱你，他其实过去都是骗你，你会恨他吗？"

舒琴想了想，说："那要看我爱不爱他，很多时候，恨，常常是因为爱。如果我不爱他了，当然就不恨他。"她打量了聂宇晟一眼，"怎么啦？你的前女友？她不是嫁人了么？"

"是啊她嫁人了。"聂宇晟说，"你放心，基本的道德我有，跟你在一起的时候，我不会对别的女人有什么想法。"

"有没有想法不重要，重要的是，你对我们的关系，是否有信心保持到将来。"

聂宇晟嘴角微扳："我会努力。"

舒琴笑了笑，岔开话题："我姨妈说，想让你去吃个饭。自从上次你把我从相亲会上解救下来，她就一直念叨有空让你去家里吃饭，我推了好几次了，不好意思再麻烦你。不过现在我们正式交往了，我想去吃个饭，也没什么吧？"

"下周末吧。"

"好，行。不过你的排班怎么样，会不会周末有重要的手术走不开？"

聂宇晟立刻想到谈静的申请书，如果一切顺利的话，或许周三或者周四就会给孙平做手术，他说："周末应该没有什么事。"

"那我跟姨妈说一声，让她提前准备一下。"

周一上班大查房结束后，照例有个例会。方主任会利用这个时间，短暂地交代下一周的工作安排，顺便听取各人的汇报，调整一周的计划。轮到聂宇晟的时候他说："三十九床孙平申请CM公司的补贴，您看这个手术排到哪天？"

因为是第一例，所以特别慎重，方主任说："周四有部长的心脏搭桥，这个周二做吧。"

聂宇晟愣了一下，方主任说："时间是仓促了点，不过那孩子的情况，越早手术越好。通知科室做好术前准备，还有，跟家属的谈话一定要到位，谈话内容一定要求家属签字同意。"

"好的。"

"还有，未成年人的手术，一定要坚持监护人即孩子的父母都到场签手术同意书，别跟脑外科一样，弄出事来。"

脑外科去年出了件事，一个未成年病人因脑瘤做伽马刀手术，病人母亲签了手术同意书，结果术后病人的预后情况不好，病人父亲到医院大闹。本来病人父母离婚了，孩子判给母亲，所以手术同意书也是母亲签的，但那病人的父亲原本是个无赖，愣是说他不知情没有同意，说医院未经同意擅自给孩子手术，要赔偿一切损失。虽然于情于理医院都没有任何责任，不过被闹了整整三四天，那无赖每天带着几十人堵在门口，连救护车都不让进，最后院方没有办法，破财免灾，协商减免了两万块的医药费。院长气得拍桌子大骂，说这种医闹就是赤裸裸的勒索。再三强调儿科手术一定要严格程序，强调所有监护人到场，免得给人钻这种空子。

方主任百忙中还叮嘱这么一句，聂宇晟也知道他的意思，风险高，当然要防患于未然。所以开完会后，他就到病房，对谈静说："孙平排期在这周二手术，也就是明天。从今天起不要给孩子进食，护士会来交代手术前的注意事项。还有，叫你丈夫来医院一趟，手术前谈话，还有手术同意书，都需要你们两个人同时在场。"

谈静愣了一下，嗫嚅着问："他不来行吗？他工作挺忙的……"

"什么工作比孩子动手术更重要？"聂宇晟不由得加重了语气，"按程序他必须得到场。"

谈静习惯性地低着头，聂宇晟看不清她的表情，只能看到她微微蹙着的眉尖，很多时候，她都是这样一种愁态。他想她的丈夫肯定不怎么体贴，最简单的表现是，孙平已经住院好几天了，她的丈夫从来没来看过孩子，更别提陪床了，连每天来送饭，都是那个王雨玲。

谈静几天夜里都没有睡好，此时已经筋疲力尽，她温顺地说："好的，我会通知他来。"

聂宇晟没再说什么，径直走出了病房，他已经不太愿意在谈静面前多待，更不愿意和她说话。他似乎把自己逼近了一个死胡同里，举头都是高墙，怎么样都碰得自己生疼生疼。

周一特别忙碌，因为周二排了孙平的手术，所以科室把他调到了白班。为这台手术，方主任还专门开了个会，最后决定方主任亲自主刀，聂宇晟一助。毕竟是新技术革新的第一例手术，成败都很关键。CM公司也非常重视此事，专门派了一个人来负责协调，很尽责地跟手术的班底讨论了所有的技术问题。

到晚上快要下班的时候，方主任还惦记着这事，问聂宇晟："术前谈话谈了吗？手术同意书怎么还没签？"

"我通知家属了，但孙平父亲还没来……"

聂宇晟话音未落，突然一个护士慌慌张张闯进来，叫："主任！您快去看看吧！三十九床的病人家属打起来了？"

聂宇晟吓了一跳，方主任问："怎么回事？"

"不知道，两口子吵架呢，越吵越厉害，护士长都过去劝架了，结果两口子打起来了……"护士话还没有说完，聂宇晟已经冲出了办公室。他冲到楼下病房，远远就看到走廊里围着一堆人，有病人有家属，只听护士长尖着嗓子，正在说："你怎么打人呢？"

"我就打，你管得着吗？"远远就听见一把沙哑的喉咙，透着蛮横不讲理。

"医生来了！"

不知是谁叫了一声，几个病人认识聂宇晟，连忙让开一条路，聂宇晟就看到一个男人，看上去虎背熊腰的，一张脸通红通红，老远都闻得到酒气汗臭。而谈静站在一旁，护士长像母鸡护雏似地挡在谈静面前。聂宇晟目光一扫，已经看到谈静半边脸颊肿得老高，他心中又急又怒，问："你是谁？凭什么打人？"

"我是她老公！你他妈的哪根葱？我打我老婆，你管得着么？"

聂宇晟想也没想，已经一拳头砸了出去，那人酒喝多了，反应迟钝，连躲闪都没有躲闪，就被他这一拳狠狠砸在了脸上，顿时鼻血长流。周围的人都一片惊呼，护士长也吓着了，赶来的另几个医生连忙去拉聂宇晟："聂医生！有话好说！"

聂宇晟被人拉住，还是一脚踹出，踹得孙志军整个人都一个趔趄，孙志军哇哇大叫，扑上来就要还手："你他妈的敢打我？老子揍死你！"

大家一拥而上，拉的拉劝的劝，聂宇晟是硬被几位同事拖开的，三四个人都拉不住他，最后是董医生抱着他的腰，小闵还有另几个男同事一起拉的拉抬的抬，才把他给硬生生抬到了一边。孙志军被一堆人拉着，使不上劲，只能骂骂咧咧："你他妈的竟然打人！我要投诉你！你们这是什么医院？竟然敢打人！老子要投诉你！"

聂宇晟暴怒，董医生看他额头青筋暴起，只怕他又冲上去，所以一边死死抱着他的腰不放手，一边大叫："别冲动！小聂你别冲动！那是个醉鬼，你犯不着跟他拼命！保安！保安呢！保安……"

正闹得不可开交，保安终于赶到了，方主任也到了，看着这一锅粥似的场面，不由得怒道："怎么回事？"

"你们医院敢打人！我要投诉你们！我要上卫生局告你们！"

"谁打人了？"方主任提高了嗓门，又问了一遍，"谁打人了？"

没人敢说话，聂宇晟脸还涨得通红，是刚刚用劲太大，使脱了力气。老董说："主任，这个家属喝醉了，在病房闹事……"

"我知道他喝醉了闹事。"方主任目光严厉，"他说我们医院打人，谁打人了？"

"我！"聂宇晟怒极了，甩开老董的手，挺直身子站起来，"我打他了！"

"聂宇晟！老子跟你没完！"孙志军突然挣脱了其他人的手，像头发怒的狮子一样，一头撞上来，正好撞在聂宇晟的胸口，头顶撞着他的下巴，顿时鲜血长流。围观的人一片惊呼，保安一拥而上才按住了孙志军，方主任更怒了："都是干什么吃的？报警！报警！"

聂宇晟的牙齿咬着了舌头，嘴里流着血，痛得连话都说不出来。老董搀着他去护士站做消毒处理，拿生理盐水漱口，仔细检查过舌头伤口不大，不需要缝合，这才埋怨："小聂你跟那种人计较什么？一看就知道是个无赖，这下好，生生挨了一下子，幸好没把舌尖咬掉，不然你不终身残废了？"

科室里都知道出了事，好几个人过来安慰聂宇晟，没一会儿警察也来了，他们是来录口供的，孙志军已经被带走，安保科报警说有人喝醉了闹事，所以警察来得很快。方主任到底是护短，不等聂宇晟说什么，就皱着眉对警察说："你们看，我们的医生被打成这样，连话都说不了，等他舌头的伤好一点儿，再叫他配合调查吧。"

孙志军本来上次就有打架的案底，警察没说什么就走了，等人都走了，方主任才瞪了聂宇晟一眼，说："怎么能打人？"

"是他先动手打病人家属。"聂宇晟口齿不清，"他在病房闹事。"

"那你叫保安啊！"方主任说，"你打得赢人家吗？你看看你现在的样子，多管闲事，结果挨一老拳。"又瞪了聂宇晟一眼，说，"不管怎么样你不应该动手，今天警察一问，旁边的人都说是你自卫，你那叫自卫吗？明明是你先打那姓孙的一拳。"

聂宇晟不做声，看到谈静肿起的半边脸颊，他只觉得热血上涌，想也没想，就挥出了拳头。本来他是最讨厌打架闹事的人，他觉得那是一种野蛮而愚蠢的行为，可是谈静挨打，他怒不可遏，什么理智都没有了，只余了愤恨。

"别上班了，回家休息去，看着你这副样子，真碍我的眼。"方主任怒气未歇，"真是越来越出息了，在病房跟病人家属打架，聂宇晟，这种事你都做得出来！"

聂宇晟不敢分辩，只能含糊地说："今天下午我还有个排期手术……"

方主任大怒，把桌子一拍："手术我替你做，你给我滚！看着就生气！滚回家去睡一觉，好好想想你最近的行为！把你那满脑子不知道什么心事给我理清楚了，再来上班！我告诉你，明天手术台上你要是再是这要死不活的样子，我就把你交到院办去！随便他们怎么处置你！"

聂宇晟垂头丧气地被赶出了办公室，老董安慰他："主任这是心疼你呢，看你都受伤了，所以让你回去休息一天。"

他也知道，可是心里说不出的难过，他想去病房看看谈静，却没有了勇气。在人群中那一瞥，看到她红肿的脸颊，就已经让他失去了理智，她怎么嫁了这样一个人？在重逢的最初，他巴不得她过得不幸福，可是真正看到她在生活的困苦中挣扎，他又觉得有一种矛盾的无力感。

他戴着口罩离开办公室，一路下楼，并没有人注意到他的异样，满医院的医生都戴着口罩。他走到停车场找到自己的车，车被晒得很热，驾驶室里热烘烘的，他把车窗都打开，然后把冷气开到最大，空调出风口的风扑在脸上，稍微让他觉得有一丝凉意，他突然狠狠一拳砸在方向盘上，砸得喇叭"嘀"地一声巨响，惊得停车场的保安回头向这边张望。他用双手捂住脸，强迫自己冷静下来，然后关上车窗，开车回家。

回家后发现下巴肿起来了，他开冰箱拿了个冰袋敷了半个小时，然后又去洗了个澡，把自己扔进床里。

他睡得很沉，这几年在临床上班，白班夜班地倒来倒去，让他养成了往床上一倒就能睡着的好习惯，今天他睡得格外沉，也不知道为什么，连梦都没有做一个。电话响了好久他才听见，迷迷糊糊地抓起来"喂"了一声。

谈静的声音就像是在梦里一样，遥远而不真切。她问："聂医生，我们能见面聊一会儿吗？"

舌头上的伤处还在隐隐作痛，提醒他这不是在梦里，他坐起来，定了定神，说："我明天上班，有什么事明天到我办公室说。"

"我有很急的事情……"她语气里带着哀求，"不会耽搁很长时间……"

他挣扎了片刻，终于说："我现在在家里，不想出去。"

"我上您家里去，可以吗？我一说完就走，不会耽搁您很长时间的。"

谈静虽然柔弱，可是当她坚持的时候，有一种不达目的誓不罢休的不屈不挠。聂宇晟知道她的脾气，更因为舌头疼得厉害，懒得多说话，于是冷淡地丢下两个字："随便。"

谈静问清楚了地址，很快就过来了。聂宇晟起床重新洗了个澡，又换了件衣服，就听到门铃响。

他打开门，谈静有点手足无措地看着他，睡了一觉之后他的下巴肿得更厉害了，所以他又拿了一袋冰敷着。不过聂宇晟完全没有正眼看她，他就一手按着冰袋，另一只手随便拿了双拖鞋给她，谈静很轻地说了声"谢谢"，看着那双女式拖鞋，愣了几秒钟。

聂宇晟才反应过来自己拿的是舒琴的拖鞋，她常来，所以搁了双拖鞋在这里。不过他不愿意向谈静解释，也觉得没有什么好解释的，毕竟现在舒琴是他的女朋友。

谈静换上了拖鞋，低着头走到客厅，聂宇晟自顾自坐在沙发上，问："你到底有什么事。"

"我是来向您赔礼道歉的……"谈静站在那里，低着头，真是一副赔礼道歉的模样，"孙志军喝醉了，您别跟他一般见识……"

他万万没想到她会说出这么一句话来，下巴似乎更疼了，他说："我不需要你赔礼道歉。"

"对不起……"

"你不用跟我说对不起！"

谈静没见过这样子的聂宇晟，他像个暴躁的狮子似的，一手按着冰袋，一手搁在沙发上，握成了拳头，就像是下一秒钟，他又会跳起来打人似的。他目光阴郁，让她有一种莫名的惊惶，可是他马上移开了目光，说："如果你就是为这事来的，你可以走了。"

谈静沉默了片刻，有点吃力地说："请你——帮个忙……我知道孙志军不对，可是现在他被警察带走了，之前他因为打架被治安拘留过，这次如果他再被拘留……"

聂宇晟觉得冰袋外头的水珠沿着下巴滑到了脖子里，然后顺着脖子滑到衣领内，那颗冰冷的水珠一直滚落到了他的胸口上，他想扔掉冰袋站起来，他想咆哮，他想质问，他想摔东西。可是最终他什么都没有做，他只是冷笑了一声，问："谈静，你就是为这事来的？"

她的头又一点一点地低下去，她的声音微不可闻，可是他听清楚了，她说的是"对不起"，似乎在他面前，除了这三个字，她再无旁的话可说。

他突然站起来抓着她的胳膊，将她往屋子里拖，谈静起初挣扎了一会儿，可是很快很顺从地，任由他拖着自己，进了洗手间。他狠狠将她甩在洗脸台前："你看看，你自己照镜子看看，你看看你的脸！你被他打成这样，你还跑来替他求情，你到底在想什么？谈静，你怎么……你怎么能……"

他实在不愿意用语言去伤害她，今天一天她也够受的了，现在她就像一只受惊的鸽子，惊惶却温驯，她自欺欺人地扭过头去，不肯看镜中自己红肿的脸，他伸手硬把她的脸扳过来，触到她的肿痛之处，她疼得皱起眉头来。

不知什么时候，他的唇已经落在她紧紧蹙起的眉峰上，那样温暖，那样缱绻，那样带着迟疑的惊宠和爱怜。她的身子猛然一颤，像是被这个吻给吓着了，她转身要跑，聂宇晟已经抓住了她，狠狠吻住了她的唇。

要有多久的思念，要有多久的渴望，隔了七年之久，时光已经成了一条无法逾越的河，他们隔着命运湍急的河水，眼睁睁地看着对岸的对方，越走越远。是无法戒掉的毒，是不能割舍的痛，隔了七年重新拥抱这个女人，聂宇晟才真正知道，有一种爱它不会因为时间改变，有一种爱它反而会越挣扎越深刻。

谈静在哭，她伸手摸索着他颈后那根红绳，在一起的最后一年是他的本命年，她编了一根红绳系在他的脖子上，不许他摘下来。他说我一辈子也不会摘下来，除非等到三十六岁，你再编一根给我换。现在这根红绳褪色了，原来艳丽的朱砂色，褪成了淡淡的褐粉，可是心里的那根绳索，却一直牢牢地在那里，系着她的心，系着她所有的牵挂。她曾经用整个青春爱过的男人啊，隔了这么多年，当他重新用力抱紧她，当他重新深深吻着她的时候，她知道，原来心底的爱，一点也没有褪色。

她的聂宇晟，在这一刹那，就像十余年前那个踏着落花而来的少年，重新劈开时空的阻隔，再次亲吻着她，就像所有的往事重新来过，就像他们从来不曾分离，就像生命中最契合自己的一部分，就像最初失去的那一半灵魂，重新找了回来。

那样令她难过，她哭得抬不起头，他抱着她在狭小的空间里，像哄一个小孩子，不知要怎么样抱着她才好。她抓着他脖子后面红绳的那个结，只是号啕大哭。这么多年来，她受过那样多的委屈，这么多年来，她吃过那样多的苦，一切的一切，她都没有想过，再重新遇上聂宇晟。

很多次她都骗自己，聂宇晟不会再回来了，就算他回来，他也早就将自己恨之入骨。斩断了心里最后一丝侥幸，她反而会觉得好过一些。可是命运偏偏不放过她，不论她怎么挣扎，就像落入蛛网的虫蚁，只会越陷越深，只会把自己束缚得越来越紧。

够了吧，到现在也够了吧？她受过的一切，就算当年的事真的有报应，那么就报应到她身上好了。她苦苦熬了这么久，够了吧！她哭着仰起脸来吻着聂宇晟，吻着他青肿的下巴，吻着他的嘴角，吻着他的眼睛……她曾经多么想念他，多么想念这个脸庞，哪怕就是在梦里，他也不曾这样清晰过。

就让她纵容自己这么一会儿吧，就让她沉溺这么一会儿吧，就算是饮鸩止渴，她也在所不惜。

在最意乱情迷的那一刹那，风吹起百叶帘，打在窗台的边缘，正好磕在那碟清水养的豆苗的碟子上，"啪"地一声，聂宇晟突然清醒过来，谈静也抬起头来，看到了那碟豆芽，还有他眼底抹不去的悲伤。什么时候他也习惯了在窗台上放一碟豆子？等着豆子慢慢地发芽，而曾经守候的那个人，却永远也不会回来了。聂宇晟的目光从那碟豆芽上，重新移回谈静的脸上，她还怔怔地看着他，他下巴的伤处隐隐作痛，那是孙志军撞的，谈静已经结婚了，她嫁给别人了。即使豆子发了芽，即使豆苗一寸一寸地长出来，她也永远不会回来了。

他冲进自己的卧室，"砰"一声锁上门，就像屋子外面不是谈静而是什么洪水猛兽。他靠在门上，难过地闭上眼睛，七年时间，改变了一切。他早就已经失去了她，如今，他再也找不回来。刚刚那个吻，让一切往事排山倒海般朝他袭来，挟裹着他，吞没着他，他近乎绝望了。

黄昏的时候下雨了，电闪雷鸣，聂宇晟坐在那里，看着窗外，窗帘没有拉上，风吹得外头竹子摇曳不定，雨点沿着半开的窗子溅进来，地板上已经湿了一小片。

他没有起身关窗，外面静悄悄的，谈静不知道什么时候已经走了，他打开门，走出去，四周似乎还有她身上的香气，聂宇晟觉得可耻，这样可耻的事情，竟然就这样发生了。

在洗手间当他抱住谈静的时候，七年苦苦压抑的相思之苦，就像是洪水一般冲垮了理智的堤岸，谈静并没有拒绝他，她甚至主动地回吻他，旖旎的记忆此刻都成了一种折磨，他做了件错事，谈静现在嫁人了，有丈夫有孩子，他怎么可以这样？

他打开冰箱，找到一罐冰啤酒，一口气喝下大半瓶，然后坐在沙发上，发愣。

谈静就像是不曾来过一样，屋子里没有任何痕迹，他就像是做了一场梦，但梦境太真实。外面雨声刷刷轻响，敲打着空中花园的防腐木地板，客厅的落地纱被风吹得斜飞起来，那轻薄的纱像是梦里她的亲吻一般，迷惘而不真实。

聂宇晟觉得自己整个人都乱了，他用手撑住了发烫的额头，现在该怎么办呢？

明天他还要上班，明天他还要做手术，明天他甚至还会在病房里见到谈静。

这个女人怎么可以这样？就这样无声无息，若无其事地离开，仿佛什么都不曾发生过。她来做什么的？哦对，她来请求自己不要追究孙志军打人的事情。但是现在，聂宇晟觉得事情更加复杂了。

【拾伍】

喝完了一罐啤酒，他也没有觉得心情好上半分，反而更加心乱如麻。他把啤酒罐扔到垃圾桶里，重新走回房间拿浴袍，打算再洗一个澡，就在开浴室门的时候，他一眼就看到了窗台上那碟豆芽下，压着一张纸条。纸条上有几滴水洇开的痕迹，也不知道是窗子外飘进来的雨水，还是她的眼泪。

他看着谈静娟秀的字迹，只有三个字："对不起"。似乎她永远只有这三个字对他说，仿佛这三个字，也隐约解释了一切。

聂宇晟将纸条揉成一团，过了一会儿，又重新打开，细心地一点一点抚平。

他在猜想，她到底是用什么心情写下这三个字呢？或者说，她是以什么样的动机，才写下这三个字？

不过，总比她写"我爱你"要好，要是那样，他会觉得比杀了他还要难过。

他不愿意多想，走进书房找到本书，随手将那张纸条夹了进去。

他心烦意乱，过了会儿才想着今天都没有去看过聂东远，应该给张秘书打个电话，问问聂东远的情况。拿起手机，却看到两个未接，都是舒琴。他把自己关在卧室里几个钟头，连手机响过几遍都没有听到。

这个时候他非常不愿意给舒琴打电话，他觉得自己太无耻了，刚刚还对舒琴说，自己不会对别的女人有想法，可是背着她，他就做出这样的事来。他犹豫了一会儿，给舒琴发了条短信，说自己在休息没有听到电话，问她有什么事。

舒琴很快回复说没事，自己打算晚上去医院，问他是不是上白班。

他回复说自己跟同事换班了，今天休息，叫舒琴不要去医院了，现在雷阵雨，在路上也不安全。

舒琴回复说"好的"。

聂宇晟打给张秘书，问了问聂东远，说他今天的治疗挺正常的，没什么特别不舒服的感觉。张秘书听说他今天调休，也叫他不要去医院了，说雨下得正大，路上肯定堵车。

聂宇晟看了看外边的雨势，果然越下越大，空中花园里的那些竹子，被风雨摧残得直不起腰来，还有几片竹叶粘在窗上，边角微微卷起，像是蹙起的眉头。聂宇晟觉得自己又中邪了，因为他伸出手去，隔着玻璃，慢慢地沿着那竹叶的边缘，很轻很轻地，慢慢地描画了一轮，他的动作里有无限的爱怜，就像轻柔地抚过某个虚空中的爱人的眉头一般。如果这样就能够让她展开眉头微微一笑，那该有多好。

谈静的眉毛就是这个样子的，所以当她蹙起眉尖的时候，他只觉得心疼。

他缩回手来，怔怔地看着玻璃上的那两片竹叶。

谈静，谈静……他该拿她怎么办呢？

谈静是搭地铁回去的，刚出地铁口就遇上暴雨，水哗哗地沿着地铁出口的台阶往下淌，就像一条小小的瀑布。谈静没有带伞，鞋子也全湿透了，走上地铁出口，被雨兜头劈脸地一浇，全身都湿透了。她蹚着水走上了人行横道，白花花的雨幕里，车子都开了大灯，在车道上艰难地行进着，一辆的士都没有看到，也没有公交。

还有三站路才到医院，谈静在便利店门口避了一会儿雨，便利店的门开着，里头冷气开得很足，一阵阵的凉风吹在她背脊里，把湿透的衣服吹得粘在她身上，冷得她直哆嗦。她只好又换了个地方，换到隔壁一家银行去避雨，银行里人满为患，排队拿号的人很多，因为下雨，办完业务也没有走的用户也多，所以中央空调也开着，人声鼎沸，冷气阵阵。

等雨下得小了些，谈静去了公交站，公交车上人也特别多，简直是爆满，挤得她连脚都没有地方搁。不过人多也好，人多的时候她脑子里就是一片空白，整个世界人满为患，到处都是挨挨挤挤的人，到处都是满满当当的雨伞，可以不必去想那些不应该想的事情。

今天她又做了一件错事，她知道，可是现在她太累了，她没有力气去想。聂宇晟会怎么样看她，她拿不准，也不敢想，留了一个纸条后，她就匆匆忙忙地离开了，她永远也不会忘记聂宇晟推开她，然后看着她的那一瞬间。他的下巴青肿着，他的脸都有点变形了，因为受伤的缘故，可是在她眼里，聂宇晟永远是最帅的，不论什么时候，不论什么地方。他的眼底倒映着她的人影，他像是梦醒过来的孩子般，那样无助，那样绝望地看着她。

最后，他逃也似地冲进了卧室，并且"砰"一声关上门。她听到落锁的声音，觉得整个心都凉透了。她做了什么？她到底在做什么？他为什么吻她？他吻她是因为可怜她，而她呢？她竟然就想利用他的可怜。不，其实她知道，自己只是情不自禁。太苦了，七年过去了，她没有一刻停止过对他的想念，所以当他吻她的时候，她就连最后的理智都没有了。

她悄悄地溜走了，就像一个贼一样，实际上今天的事情比做贼更加可耻，谈静你一错还要再错吗？

这七年来吃的苦头，这七年来遭到的报应，还不够吗？

她低着头下了公交，慢慢走进医院。宏伟的门诊大楼后边，是一幢幢品字形排开的住院楼，来往的人群匆匆，有雨伞的冰冷水珠甩在她胳膊上，可是现在她也没感觉了。现在她的身体比在冰窖里还要冷，所有的血液所有的温度似乎都去了另一个地方，她脑子里空空，胃里也空空，机械地进了电梯，把自己的全部重量，都搁在了电梯的壁板上。

别幼稚了谈静，七年的教训也已经足够了，当一切都没有发生过吧。你的孩子还在病床上，等着做手术。孙志军又被派出所带走了，所有的一切，都需要她去解决。她没有时间怀念过往，她不应该去想几个钟头前发生的那个吻有什么意义，那是没有意义的。

现在她要收拾孙志军惹出的乱摊子，现在她要照顾孩子的病，现在，她要重新忘记聂宇晟。

王雨玲看到谈静的样子被吓了一跳，说："这么大的雨，你怎么不躲躲再回来呢？"

谈静恍惚地朝她笑了笑，王雨玲给了她一条毛巾，告诉她下午孙平醒过来一会儿，叫妈妈，没有看见她，就又睡着了。谈静满心内疚，可是她知道自己的手冰凉的，不敢去摸孩子。王雨玲打了两开水瓶的水搁在那里，现在倒了热水在盆子里，让她赶紧去洗手间擦一擦，把湿衣服换掉。

进了洗手间，谈静看着镜子里自己的脸，仍旧肿着。孙志军那一巴掌又狠又准，打得她整个人都懵了。那一巴掌，也把她的心都打灰了。以前他虽然对她不好，可是也从来没有打过她，就算有时候喝醉了会不小心撞到她，那也是纯粹无意识的动作。她向孙志军解释了半天CM公司的补贴，他却一个劲儿地逼问："风险那么高，你为什么同意手术？"

"再拖下去孩子就没命了！"

"你为什么不跟我商量？"

"今天不是叫你来商量吗？再说跟你商量有什么用？你除了问我要钱，还管过什么？"

也许就是这句话激怒到他，也许是因为另外一件事，当时他突然俯身看床头贴的卡片，那上头有主治医生的名字。

聂宇晟。

很清楚地写着病人孙平，主治医生聂宇晟。

这个名字能遇上同名同姓的情况实在太少了，连她都无法说服自己这只是一个偶然。

他抬手就给她一巴掌。

"你给孩子做手术，你哪儿来的钱给孩子做手术？"

她都被打懵了，护士长把她拉到了一边，然后聂宇晟就来了。她从来没见过那样子的聂宇晟，他简直是暴怒，冲上去就给了孙志军一拳。

他从来就没有打过人吧，在中学时代，聂宇晟虽然不是循规蹈矩的学生，但也不屑于打架闹事。尤其是重逢之后，她常常觉得他冷静得惊人，或许那是医生的职业状态，或许是七年未见他性情大变，重逢之后，他永远是那副拒人千里、冷漠疏远的样子。

所以当聂宇晟打出那一拳的时候，她除了错愕，还有一种心碎。为什么聂宇晟出手打孙志军，是因为她挨了打。她原以为，他对自己的恨早就取代了一切，可是他为什么这么恨她？

在那个台风夜，当他伤心欲绝地冲下山去的时候，她其实站在雨中，号啕大哭。

聂宇晟，这三个字，对于她而言，唯一的意义，就是此生她爱过的第一个人，也是她最爱的一个人。

她却不能爱。

有太多的分崩离析隔在中间，她自己都不知道自己是怎么样把那一番话说完的。很长一段时间里，她都想去找聂宇晟，她都想说，对不起。

她唯一能够对他说的话，也只剩这三个字了。

她看着镜中的自己，对自己说，够了。

相思如果是一种债，那么如今已经偿还，够了。

她拧出滚烫的毛巾，按在自己脸上，勒令自己必须重新忘记聂宇晟。

王雨玲等雨停的时候才走，她走的时候，谈静已经有点鼻塞头疼。王雨玲不放心，谈静说："就是淋了雨，受了寒，明天肯定就好了。"

到了晚上快要熄灯的时候，谈静只觉得浑身发软，走到护士站去，央求值班护士给了体温计，量了一量，竟然三十九度。值班护士说："你别撑着了，赶紧去挂个急诊。"

"我就是受凉了……"

"感冒更不能在病房待着了，你快去急诊，病房里病人都虚弱，要严防传染。"

谈静没有办法，只好拜托护士多照顾孙平，自己下楼去前边门诊楼的急诊部挂了个号。医生问了问，诊断是风寒感冒，看她烧得太高，于是开了两天的点滴，说："今天先吊一袋，加退烧药的，明天再吊一次抗生素。"

谈静去取了药，挂上水，差不多已经半夜了。

观察室里人不多，半夜还在门诊输液的，基本都是各种突发急诊。有个孩子哭得很厉害，父母拎着输液的药水袋，不停地绕圈子。

谈静觉得头疼欲裂，又不知道病房里孙平怎么样了，半夜三更，举目无亲，没有任何一个人可以指望，可以帮助自己。孙志军被派出所带走了，她最担心的是，孙平的手术该怎么办，医院还会答应做手术吗？如果不能做，那么孩子的病，还能拖延吗？

她发着高烧，人本来就虚弱，头疼得厉害，闭上眼睛不一会儿，又睁开。观察室里那个孩子哭得太厉害了，最后吐奶了，家长很惊慌抱着孩子直着喉咙叫医生，医生进来仔细察看，商量要送去住院。

孩子被抱走之后，观察室里安静了不少，谈静闭上眼睛养了一会儿神，突然有一根微凉的手指，按在她的手背上，她一惊，醒了，才发现原来药水输完了，护士在替她拔针。原来她睡着了一会儿，可是谁替她叫的护士？

聂宇晟就站在不远处，她按着手背上的创可贴，需要按一会儿止血。他走过来对她说："我有事跟你说。"

其实也没有什么事，他只觉得她不会照顾自己。晚上的时候他接到医院的电话，来看一个急诊，结果路过观察室，就看到了她。

一个人坐在观察室里打点滴，连睡着了的样子，都是那样的疲倦。她的唇上几乎没什么血色，大约在发烧，所以唇角发白干得起了皮，袋子里的药水已经快完了，她却没有任何醒来的痕迹。再不拔针的话，就会回血了，所以他转身去值班室，叫来了护士。

谈静不知道他有什么话跟自己说，不过观察室不是说话的地方。她按了一会儿创可贴，就站了起来。聂宇晟说："去我车上吧。"

停车场里一个人都没有，值班的保安在岗亭里打盹，晚上这里的车不多，大部分是值夜班的医生的，所以显得很空旷也很安静。聂宇晟替她打开车门，很多时候小节总是能体现他的出身，家教良好，时时刻刻记得所谓的风度。

聂宇晟其实也没想好有什么话对谈静说，所以当关上车门之后，他沉默了一会儿，才问她："急诊谁看的？"

谈静愣了一下，才想明白他是问刚才谁替自己看的病，于是答："张医生。"

医院里有太多张医生，他不知道是哪个，于是又问："处方呢？"

谈静把捏得皱皱巴巴的病历交给他，他看了看上头的诊断和开的药，风寒感冒，下午的时候她一定是淋雨了。

他说："明天你不要到病房陪床了，会传染。"

"是风寒感冒……"

"医院有规定。"

谈静悄悄打量他的脸色，他还是那样冷漠生硬的口气，她不知道说什么才好，突然听到他说："为什么？"

"什么为什么？"

"七年前为什么对我说那些话，一定是有原因的，为什么？"

谈静微微吸了口气，事隔七年，再提这些有什么意义呢？她说："我不愿意告诉你。事实上，那个时候，我是特别特别恨你的。"

"那么现在呢？"

她呆呆地又重复了一遍："现在？"

"现在你还恨我吗？"

谈静下意识咬住了嘴唇，这个问题让她觉得难以回答，她不知道他为何如此追问，过去的一切早就已经过去，他们中间早就隔着太多的人和事，他们早就回不去了，不是吗？

"曾经有一个人对我说过，很多时候，恨，常常是因为爱。谈静，你爱我吗？你爱过我吗？"

谈静不知道自己该说什么，"爱"这个字对她而言，已经陌生而奢侈。一个苦苦在命运中挣扎的人，有什么资格去奢谈爱情？

她长时间的沉默让聂宇晟更加难堪，他觉得自己又在自取其辱。够了，这个女人为什么吻他？因为他是她儿子的主治医生？太可笑了！

"下车吧。"

她有点惊慌地看着他，他的脸色平静得像水一样，可是他捏着方向盘的手指关节发白，他又说了一遍："下车。"

谈静下了汽车，看着他把车子开出了停车场，车子的速度很快，在冲到出口的升降杆之前，才猛然"嘎"一声刹住，车胎摩擦地面的声音在沉静的夜色中显得格外刺耳，把岗亭里打盹的保安都惊醒了。他看了一眼车里的人，于是隔着车窗玻璃跟聂宇晟打了个招呼："聂医生，又加班啊？"一边说着，一边就把升降杆打开。可是一贯待人都非常有礼貌的聂宇晟，却没有像往常一样向他道谢。等升降杆一打开，车子像离弦的箭一样，飞快地冲出停车场，消失在茫茫夜色中。

保安挠了挠头，打算趴下继续睡觉，却看到路灯下停车场的中间站着一个人，一动不动的。路灯的光线并不明亮，保安只模糊看得出那是一个女人，因为似乎穿着裙子。大约是另一个加班的医生吧……保安打了个呵欠，今天晚上的急诊实在是太多了。

谈静在停车场里站了一会儿，她非常担心，聂宇晟驾车离开的时候，看都没有看她一眼，正因为这样，所以她才非常担心。其实这么多年他仍旧没有变，当他伤心欲绝的时候，她其实能够知道。她非常担心聂宇晟会出事，她甚至想给他打一个电话，但找出手机，在拨打他的号码时，她却迟疑了。

还有什么立场打这个电话？连那个情不自禁的吻，也被他认为是别有用心。那么就让他这样以为好了，过去的谈静已经死了，她不愿意再给自己一丁点儿希望。

她因为感冒发烧，护士不让她回病房，站在停车场里也不是办法，最后她决定回家。她太需要睡眠了，连续几天在医院里，她都没办法睡好，现在人一病，更加觉得疲倦。

幸好有通宵的公交车，不过是换车的时候麻烦一点，等到了小区外头，差不多已经是凌晨两点钟光景。狭窄街道两旁的店铺都已经打烊，只有一家网吧还开着，雪白的灯光映在地上，她走过去的时候，只有自己孤零零的影子。

小区的铁门已经锁了，不过迟归的人都有办法，她把裙子的一角掖在腰里，打算爬上去。刚刚抓住铁栅栏，才一脚踏上第一格，就有人抓住她的手，把她吓得差点尖叫起来，回头一看，竟然是聂宇晟。他脸色阴沉，问："你打算爬过去？"

他为什么会在这里？他的车停在不远处，也许他早就在这里，而她没有留意。

"上车。"他拉着她往车边走，她被他拉得跟跟跄跄，一直走到车边，她这才注意到车边全是烟头，起码有十几个。不过，聂宇晟从来不抽烟，他大约是恰好把车停在这里。

她终于挣开了他的手："聂宇晟，你放过我吧……"

他顿了一顿，却没有撒手，语气里有一种近乎嘲讽的冷漠："七年前你没有放过我，为什么我今天要放过你？"

现在的他不仅戾气十足，而且喜怒无常。她又困又倦，抵挡不住他的力气，他很直接地把她推进后座，动作粗鲁。今天晚上他就像另一个人，谈静觉得，七年后的聂宇晟本来就已经是另一个人了，可是今天晚上她看到了第三个聂宇晟。他简直像喝醉了酒一样，但谈静知道，他根本滴酒未沾，可是他的样子就像失去了理智。

他开车沿着主干道走，不久找到一家酒店，看上去还挺高档，他把车子驶入门廊，门童替他们打开车门，聂宇晟下车，她稀里糊涂跟着下来了，车子已经被酒店的人开走，他径直走到大堂的前台去，掏出身份证，说要一个大床间。酒店前台一脸为难地说大床间已经没有了，只有标间和蜜月套房，前台小姐看了一眼他和谈静，微笑说："其实蜜月套房比大床间仅仅只贵一点儿，而且比标准间位置好，楼层十分安静……"

聂宇晟说："那就蜜月套房。"

整个过程谈静一直很安静，进电梯，进房间，套房里放着果盘和玫瑰花，床上还撒着花瓣，真是蜜月套房。旋即酒店送了车钥匙上来，说替他们把车子停在地下二层的A16车位，聂宇晟掏了一张钞票做小费，然后关上门。

谈静还在发烧，他打开衣柜，取了件浴袍给她："去洗澡！"

浴缸很大，不过她困得没办法，匆匆忙忙用淋浴冲了个热水澡，觉得已经舒适得快要睡着了，穿着浴袍出来，聂宇晟还坐在沙发上，他的侧影被落地灯勾勒出来，那样熟悉，又那样陌生。她突然觉得一阵心软，几乎就要心虚了。

谈静悄无声息地站在他面前，他很快抬起头，她说："十万。"

他压根没想到她会开口说出这两个字来，于是迷惑地看着她。

"你知道我需要钱，也许你还……还喜欢我。所以，今晚你想留下来也可以，我要十万。"

聂宇晟的脸色在一瞬间变了，变得毫无血色，他下巴上的淤青还没有散，也仍旧有些肿，这让他表情看上去很古怪，在那么一刹那，谈静真的以为他会跳起来打人，因为他目光凶狠，那眼神就像是刀子似的，似乎想从她身上挖出个透明窟窿。可是最后他什么都没有做，他只是咬牙切齿，一字一顿地说："谈静，你以为到了今天，我还会任你予取予求？"

说完这句话，他就起身摔门而去，进了电梯，他才觉得自己在发抖。他从来没有觉得这么冷，电梯里空调出风口的风呼呼地吹着，他一直搭电梯到地下车库，上车先找急救箱，打开急救箱握住体温计，才明白自己在做什么。他本来是想等谈静洗完澡后，自己下来拿体温计上去给她量体温，看看她是不是退烧了。可是现在找到体温计有什么用？还有什么用？

体温计被他用力捏折在了手里，断掉的玻璃柱深深地嵌入掌心，血和着水银落了一地，他也不觉得痛。最后他说的那句话，是真正的可笑而苍白的掩饰。她为什么敢开口问他要钱？就是因为她明明知道，即使到了今天，他仍旧会任她予取予求。她把她自己当成商品一样向他兜售，上次她要了三万，这次她要十万。纵然有一万个不得已，纵然她真的缺钱，但她为什么这样不堪，就像是唯恐还有一点点美好的回忆，就像唯恐他还不够对她死心？

他深深地后悔，在街上兜了几个圈子之后，为什么要去她住的地方。因为知道她并没有别处可去，而她又病了。在看到她打算爬铁门的时候，他怎么会忍不住丢掉烟头冲上去，抓住那个胆大包天打算做那样危险行径的女人。是的，他抽烟，最近才学会，因为实在是太苦闷了。他后悔为什么带她来酒店，因为知道她没有地方可以睡，他后悔为什么要跟她上房间，他原本可以交房卡给她就离开，他只是想让她洗个热水澡，这样对退烧有帮助，他是想量完体温后再离开。无论怎么样，他心里不应该有一丝怜悯，连最后一丝也不该有，因为这个女人会抓住这一丝的机会，给他最残忍的一击。

不论七年前有什么原因，现在他相信，起码当年她有一句话说的是实话，那就是她从来没有爱过他。哪怕当年她曾有一点点真心相待，现在就不会这样绝情地将过去所有的感情当成武器，将他伤得体无完肤。下午的那个吻就像是梦一样，他深深地厌恶起自己来，为什么有一点点希望就奢求？为什么总是自欺欺人地觉得，她是有不得已的苦衷？为什么看到她掉眼泪的时候，自己却会心疼？

聂宇晟，你是这世界上最傻的傻瓜。

你到底要到什么时候才能清醒？

RETIRED